S0-CBW-100

Русский
стиль

Исаак
БАБЕЛЬ

КАК ЭТО ДЕЛАЛОСЬ В ОДЕССЕ

Санкт-Петербург
КРИСТАЛЛ
2001

ББК 84.4
Б12

Серия основана в 2001 году

Составление и общая редакция
Р. В. Грищенкова
Художественное оформление серии
И. Г. Мосина

ISBN 5-306-00148-3

ИСТОРИЯ МОЕЙ ГОЛУБЯТНИ

ДЕТСТВО. У БАБУШКИ

По субботам я возвращался домой поздно, после шести уроков. Хождение по улице не казалось мне пустым занятием. Во время ходьбы удивительно хорошо мечталось и все, все было родное. Я знал вывески, камни домов, витрины магазинов. Я их знал особенно, только для себя и твердо был уверен, что вижу в них главное, таинственное, то, что мы, взрослые, называем сущностью вещей. Все мне крепко ложилось на душу. Если говорили при мне о лавке, я вспоминал вывеску, золотые потертые буквы, царапину в левом углу ее, барышню-кассиршу с высокой прической и вспоминал воздух, который живет возле этой лавки и не живет ни у какой другой. А из лавок, людей, воздуха, театральных афиш я составлял мой родной город. Я до сих пор помню, чувствую и люблю его; чувствую так, как мы чувствуем запах матери, запах ласки, слов и улыбки; люблю потому, что в нем я рос, был счастлив, грустен и мечтателен, страстно неповторимо мечтателен.

Шел я всегда по главной улице, там было больше всего людей.

Та суббота, о которой мне хочется рассказать, приходилась на начало весны. В эту пору у нас в воздухе нет тихой нежности, так сладостной в Средней России, над мирной речкой, над скромной долиной. У нас блестящая, легкая прохлада, неглубокая, веющая холодком страстность. Я был совсем пузырем в то время и ничего не понимал, но весну чувствовал и от холодка цвел и румянился.

Ходьба занимала у меня много времени. Я долго рассматривал бриллианты в окне ювелира, прочитал театральные афиши от а до ижицы, а однажды осматривал в магазине мадам Розали бледно-розовые корсеты с длинными волнистыми подвязками. Собираясь идти дальше, я наткнулся тогда на высокого студента с большими черными усами. Он улыбался и спросил меня: «Изучаете?» Я смутился. Тогда он важно похлопал меня по плечу и покровительственно сказал: «Продолжайте в том же духе, коллега. Хвалю. Всех благ!» Расхохотался, повернулся и ушел. Я был очень сконфужен, поплелся домой и на витрины мадам Розали уже не заглядывался.

Этот субботний день полагалось проводить у бабушки. У нее была отдельная комната, в самом конце квартиры, за кухней. В углу комнаты стояла печь: бабушка всегда зябла. В комнате было жарко, душно, и от этого мне всегда бывало тоскливо, хотелось вырваться, хотелось на волю.

Я перетащил к бабушке мои принадлежности, книги, пюпитр и скрипку. Стол для меня был уже накрыт. Бабушка села в углу. Я ел. Мы молчали. Дверь была заперта. Мы были одни. На обед была холодная фаршированная рыба с хреном (блюдо, ради которого стоит принять иудейство), жирный, вкусный суп, жареное мясо с луком, салат, компот, кофе, пирог и яблоки. Я съел все. Я был мечтателем, это правда, но с большим аппетитом. Бабушка убрала посуду. В комнате сделалось чисто. На окошке стояли чахленькие цветы. Из всего живущего бабушка любила своего сына, внука, собаку Мимку и цветы. Пришла и Мимка, свернулась калачиком на диване и заснула тотчас. Она была ужасная соня, но славная собака, добрая, разумная, небольшая и красивая. Мимка была мопсом. Шерсть у нее была светлая. До старости она не обрюзгла, не отяжелела, а осталась стройной и тонкой. Она у нас долго жила, от рождения до смерти, весь свой пятнадцатилетний собачий век, и любила нас, — это так понятно, а больше всех суровую и ко всему безжалостную бабушку. О том, какие друзья, молчаливые и скрытные, они были, я расскажу в другой раз. Это очень хорошая, трогательная и ласковая история.

Итак, нас было трое — я, бабушка и Мими. Мими спала. Бабушка, добрая, в праздничном шелковом платье, сидела в углу, а я должен был заниматься. Тот день был тяжелым для меня. В гимназии было 6 уроков, а должен был прийти г. Сор[окин], учитель музыки, и г. Л., учитель еврейского языка, отдавать пропущенный урок и пот[ом], м[ожет] б[ыть], Peysson[1], учитель французского языка, и уроки приходилось приготовлять. С Л. я справился бы, мы были старые знакомые, но музыка, гаммы — какая тоска! Сначала я принялся за уроки. Разложил тетради, стал тщательно решать задачи. Бабушка не прерывала меня, боже сохрани. От напряжения, от благоговения к моей работе у нее сделалось тупое лицо. Глаза ее, круглые, желтые, прозрачные, не отрывались от меня. Я перелистывал страницу — они медленно передвигались вслед за моей рукой. Другому от неотступно наблюдающего, неотрывного взгляда было бы очень тяжело, но я привык.

Потом бабушка меня выслушивала. По-русски, надо сказать, она говорила скверно, слова коверкала на свой, особенный, лад, смешивая русские с польскими и еврейскими. Грамотна по-русски, конечно, не была и книгу держала вниз головой. Но это не мешало мне рассказать ей урок с начала до конца. Бабушка слушала, ничего не понимала, но музыка слов для нее была сладка, она благоговела перед наукой, верила мне, верила в меня и хотела, чтобы из меня вышел «богатырь» — так называла она богатого человека. Уроки я кончил и принялся за чтение книги, я тогда читал «Первую любовь» Тургенева. Мне все в ней нравилось, ясные слова, описания, разговоры, но в необыкновенный трепет меня приводила та сцена, когда отец Владимира бьет Зинаиду хлыстом по щеке. Я слышал свист хлыста, его гибкое кожаное тело остро, больно, мгновенно впивалось в меня. Меня охватывало неизъяснимое волнение. На этом месте я должен был бросить чтение, пройтись по комнате. А бабушка сидела недвижима, и даже жаркий одуряющий воздух стоял не шевелясь, точно чувствовал, что я занимаюсь, нельзя мне мешать. Жару в комнате все прибавлялось. Стала похрапывать Мимка. А раньше было тихо, призрачно тихо, не доносилось ни звука. Все мне было необыкновенно в тот миг и от всего хотелось бежать и навсегда хотелось остаться. Темнеющая комната, желтые глаза бабушки, ее фигурка, закутанная в шаль, скрюченная и молчащая в углу,

---

[1] Пейссон (*фр.*).

жаркий воздух, закрытая дверь, и удар хлыстом, и этот пронзительный свист — только теперь я понимаю, как это было странно, как много означало для меня. Из этого тревожного состояния меня вывел звонок. Пришел Сор[окин]. Я ненавидел его в ту минуту, ненавидел гаммы, эту непонятную, ненужную визгливую музыку. Надо признать, этот Сор[окин] был славный малый, носил черные волосы ежиком, имел большие красные руки и красивые полные губы. В тот день под бабушкиным оком он должен был работать целый час, даже больше, должен был стараться изо всех. Все это не находило никакого признания. Глаза старухи холодно и цепко передвигались вслед за его движениями, оставались к нему безразличными и чужими. Бабушке были не интересны посторонние люди. Она требовала, чтобы они исполняли свои обязательства по отношению к нам, и только. Начали мы заниматься. Я-то бабушку не боялся, но битый час приходилось испытывать на себе усердие не в меру моего бедного Сорокина. Он чувствовал себя очень необычно в этой отдаленной комнате, перед мирно спящей собакой и враждебной, холодно следящей старухой. Наконец он стал прощаться. Бабушка безучастно подала ему твердую, морщинистую большую руку и даже не шевельнула ею. Уходя, он зацепился за стул.

Я выдержал и следующий час — урок господина Л., дождался минуты, когда и за ним закрылась дверь.

Наступил вечер. Зажглись в небе далекие золотые точки. Наш двор — глубокую клетку — ослепила луна. У соседей женский голос запел романс «Отчего я безумно люблю». Наши ушли в театр. Мне сделалось грустно. Я устал. Я так много читал, так много занимался, так много смотрел. Бабушка зажгла лампу. Ее комната сразу сделалась тихой; темная, тяжелая мебель мягко осветилась. Проснулась Мими, прошлась по комнатам, пришла снова к нам и стала дожидаться ужина. Прислуга внесла самовар. Бабушка была любительница чаю. Для меня был припасен пряник. Мы пили помногу. В глубоких и резких бабушкиных морщинах заблестел пот. «Хочешь спать?» — спросила она. Я ответил: «Нет». Мы стали разговаривать. И вновь я услышал бабушкины истории. Давно, много лет тому назад один еврей держал корчму. Он был беден, женат, обременен детьми и торговал безакцизной водкой. Приезжал к нему комиссар и мучил его. Ему стало трудно жить. Он пошел к цадику и сказал: «Рабби, мне досаждает комиссар до смерти. Просите за меня Бога». — «Иди с миром, — сказал ему цадик. — Комиссар успокоится». Еврей ушел. На пороге своей корчмы он застал комиссара. Тот лежал мертвым с багровым вздутым лицом.

Бабушка замолчала. Самовар гудел. Соседка все пела. Луна все слепила. Мими помахала хвостом. Она была голодна.

— В старину люди верили, — промолвила бабушка. — Было проще жить на свете. Когда я была девушкой — взбунтовались поляки. Возле нас был графский майонтек. К графу приезжал сам царь. У него гуляли по семеро суток. Я ночью бегала к графскому замку и смотрела в освещенные окна. У графа была дочь и лучшие в мире жемчуга. Потом было восстание. Пришли солдаты и выволокли его на площадь. Мы все стояли вокруг и плакали. Солдаты вырыли яму. Старику хотели завязать глаза. Он сказал «не надо», стал против солдат и скомандовал: «Пали». Граф был высокого роста, седой мужчина. Мужики его любили. Когда его стали закапывать, быстро приехал гонец. Он привез от царя помилование.

Самовар потухал. Бабушка выпила последний, холодный уже стакан чаю, пососала беззубым ртом кусочек сахару.

— Твой дед, — заговорила она, — знал много историй, но он ни во что не верил, только верил в людей. Он отдал все свои деньги друзьям, а когда пришел к ним, то его сбросили с лестницы, и он тронулся умом.

И бабушка рассказывает мне о моем деде, высоком, насмешливом, страстном и деспотичном человеке. Он играл на скрипке, писал по ночам сочинения и знал все языки. Им владела неугасимая жажда к знанию и жизни. В их старшего сына влюбилась генеральская дочь, он много скитался, играл в карты и умер в Канаде 37 лет. У бабушки остался один только сын и я. Все прошло. День склоняется к вечеру, и смерть приближается медленно. Бабушка замолкает, склоняет голову и плачет.

— Учись, — вдруг говорит она с силой, — учись, ты добьешься всего — богатства и славы. Ты должен знать все. Все будут падать и унижаться перед тобой. Тебе должны завидовать все. Не верь людям. Не имей друзей. Не отдавай им денег. Не отдавай им сердца.

Бабушка не рассказывает больше. Тишина. Бабушка думает о прошедших годах и печалях, думает о моей судьбе, и суровый завет ее тяжко — навеки — ложится на детские слабые мои плечи. В темном углу пышет зноем накалившаяся чугунная печь. Мне душно, мне нечем дышать, надо бежать на воздух, на волю, но нет сил поднять никнущую <голову?>.

В кухне гремят посудой. Бабушка идет туда. Мы собираемся ужинать. Скоро я слышу ее металлический и гневный голос. Она кричит на прислугу. Мне странно и больно. Ведь так недавно она дышала миром и печалью. Прислуга огрызается. «Пошла вон, наймичка, — гремит нестерпимо высокий голос с неудержимой яростью. — Я здесь хозяйка. Ты добро уничтожаешь. Вон». Я не могу вынести этого оглушающего железного крика. Через приоткрытую дверь я вижу бабушку. Ее лицо напряжено, губа мелко и беспощадно вздрагивает, глотка вздулась, точно вспухла. Прислуга что-то возражает. «Уйди», — сказала бабушка. Сделалось тихо. Прислуга согнулась и неслышно, точно боясь оскорбить тишину, выползла из комнаты.

Мы ужинаем в молчании. Едим сытно, обильно и долго. Прозрачные бабушкины глаза неподвижны, и куда они смотрят — я не знаю. После ужина она...[1]

Больше я не вижу ничего, потому что сплю очень крепко, сплю молодо за семью печатями в бабушкиной жаркой комнате.

ИСТОРИЯ МОЕЙ ГОЛУБЯТНИ

М. Горькому

В детстве я очень хотел иметь голубятню. Во всю жизнь у меня не было желания сильнее. Мне было девять лет, когда отец посулил дать денег на покупку

[1] Фраза обрывается. Заключительный абзац написан на отдельном листке. (*Примеч. составителя.*)

тесу и трех пар голубей. Тогда шел тысяча девятьсот четвертый год. Я готовился к экзаменам в приготовительный класс Николаевской гимназии. Родные мои жили в городе Николаеве, Херсонской губернии. Этой губернии больше нет, наш город отошел к Одесскому району.

Мне было всего девять лет, и я боялся экзаменов. По обоим предметам — по русскому и по арифметике — мне нельзя было получить меньше пяти. Процентная норма была трудна в нашей гимназии, всего пять процентов. Из сорока мальчиков только два еврея могли поступить в приготовительный класс. Учителя спрашивали этих мальчиков хитро; никого не спрашивали так замысловато, как нас. Поэтому отец, обещая купить голубей, требовал двух пятерок с крестами. Он совсем истерзал меня, я впал в нескончаемый сон наяву, в длинный детский сон отчаяния, и пошел на экзамен в этом сне и все же выдержал лучше других.

Я был способен к наукам. Учителя, хоть они и хитрили, не могли отнять у меня ума и жадной памяти. Я был способен к наукам и получил две пятерки. Но потом все изменилось. Харитон Эфрусси, торговец хлебом, экспортировавший пшеницу в Марсель, дал за своего сына взятку в пятьсот рублей, мне поставили пять с минусом вместо пяти, и в гимназию на мое место приняли маленького Эфрусси. Отец очень убивался тогда. С шести лет он обучал меня всем наукам, каким только можно было. Случай с минусом привел его в отчаяние. Он хотел побить Эфрусси или подкупить двух грузчиков, чтобы они побили Эфрусси, но мать отговорила его, и я стал готовиться к другому экзамену, в будущем году, в первый класс. Родные тайком от меня подбили учителя, чтобы он в один год прошел со мною курс приготовительного и первого классов сразу, и так как мы во всем отчаивались, то я выучил наизусть три книги. Эти книги были: грамматика Смирновского, задачник Евтушевского и учебник начальной русской истории Пуцыковича. По этим книгам дети не учатся больше, но я выучил их наизусть, от строки до строки, и в следующем году на экзамене из русского языка получил у учителя Караваева недосягаемые пять с крестом.

Караваев этот был румяный негодующий человек из московских студентов. Ему едва ли исполнилось тридцать лет. На мужественных его щеках цвел румянец, как у крестьянских ребят, сидела бородавка у него на щеке, из нее рос пучок пепельных кошачьих волос. Кроме Караваева, на экзамене был еще помощник попечителя Пятницкий, считавшийся важным лицом в гимназии и во всей губернии. Помощник попечителя спросил меня о Петре Первом, я испытал тогда чувство забвения, чувство близости конца и бездны, сухой бездны, выложенной восторгом и отчаянием.

О Петре Великом я знал наизусть из книжки Пуцыковича и стихов Пушкина. Я навзрыд сказал эти стихи, человечьи лица покатились вдруг в мои глаза и перемешались там, как карты из новой колоды. Они тасовались на дне моих глаз, и в эти мгновения, дрожа, выпрямляясь, торопясь, я кричал пушкинские строфы изо всех сил. Я кричал их долго, никто не прерывал безумного моего бормотанья. Сквозь багровую слепоту, сквозь свободу, овладевшую мною, я видел только старое, склоненное лицо Пятницкого с посеребренной бородой. Он не прерывал меня и только сказал Караваеву, радовавшемуся за меня и за Пушкина.

— Какая нация, — прошептал старик, — жидки ваши, в них дьявол сидит.

И когда я замолчал, он сказал:

— Хорошо, ступай, мой дружок...

Я вышел из класса в коридор и там, прислонившись к небеленой стене, стал просыпаться от судороги моих снов. Русские мальчики играли вокруг меня, гимназический колокол висел неподалеку под пролетом казенной лестницы, сторож дремал на продавленном стуле. Я смотрел на сторожа и просыпался. Дети подбирались ко мне со всех сторон. Они хотели щелкнуть меня или просто поиграть, но в коридоре показался вдруг Пятницкий. Миновав меня, он приостановился на мгновение, сюртук трудной медленной волной пошел по его спине. Я увидел смятение на просторной этой, мясистой, барской спине и двинулся к старику.

— Дети, — сказал он гимназистам, — не трогайте этого мальчика, — и положил жирную, нежную руку на мое плечо. — Дружок мой, — обернулся Пятницкий, передай отцу, что ты принят в первый класс.

Пышная звезда блеснула у него на груди, ордена зазвенели у лацкана, большое черное мундирное его тело стало уходить на прямых ногах. Оно стиснуто было сумрачными стенами, оно двигалось в них, как движется барка в глубоком канале, и исчезло в дверях директорского кабинета. Маленький служитель понес ему чай с торжественным шумом, а я побежал домой, в лавку.

В лавке нашей, полон сомнения, сидел и скребся мужик-покупатель. Увидев меня, отец бросил мужика и, не колеблясь, поверил моему рассказу. Он закричал приказчику закрывать лавку и бросился на Соборную улицу покупать мне шапку с гербом. Бедная мать едва отодрала меня от помешавшегося этого человека. Мать была бледна в ту минуту и испытывала судьбу. Она гладила меня и с отвращением отталкивала. Она сказала, что о всех принятых в гимназию бывает объявление в газетах и что Бог нас покарает и люди над нами посмеются, если мы купим форменную одежду раньше времени. Мать была бледна, она испытывала судьбу в моих глазах и смотрела на меня с горькой жалостью, как на калечку, потому что одна она знала, как несчастлива наша семья.

Все мужчины в нашем роду были доверчивы к людям и скоры на необдуманные поступки, нам ни в чем не было счастья. Мой дед был раввином когда-то в Белой Церкви, его прогнали оттуда за кощунство, и он с шумом и скудно прожил еще сорок лет, изучал иностранные языки и стал сходить с ума на восьмидесятом году жизни. Дядька мой Лев, брат отца, учился в Воложинском ешиботе, в 1892 году он бежал от солдатчины и похитил дочь интенданта, служившего в Киевском военном округе. Дядька Лев увез эту женщину в Калифорнию, в Лос-Анжелос, бросил ее там и умер в дурном доме, среди негров и малайцев. Американская полиция прислала нам после смерти наследство из Лос-Анжелоса — большой сундук, окованный коричневыми железными обручами. В этом сундуке были гири от гимнастики, пряди женских волос, дедовский талес, хлысты с золочеными набалдашниками и цветочный чай в шкатулках, отделанных дешевыми жемчугами. Изо всей семьи оставались только безумный дядя Симон, живший в Одессе, мой отец и я. Но отец мой был доверчивый к людям, он обижал их восторгами первой любви, люди не прощали ему этого и обманывали. Отец верил поэтому, что жизнью его управляет злобная судьба, необъяснимое существо, преследующее его и во всем на него не похожее. И вот только один я оставался у моей матери изо всей нашей семьи. Как все евреи, я был мал ростом, хил и страдал от ученья головными болями. Все это видела моя мать, которая никогда не бывала ослеплена нищенской гордостью своего мужа и непонятной его верой в то, что семья наша станет когда-либо сильнее и богаче других людей на земле. Она не ждала для нас удачи, боялась купить форменную блузу раньше времени и только позволила мне сняться у фотографа для большого портрета.

Двадцатого сентября тысяча девятьсот пятого года в гимназии вывешен был список поступивших в первый класс. В таблице упоминалось и мое имя. Вся родня наша ходила смотреть на эту бумажку, и даже Шойл, мой двоюродный дед, пришел в гимназию. Я любил хвастливого этого старика за то, что он торговал рыбой на рынке. Толстые его руки были влажны, покрыты рыбьей чешуей и воняли холодными прекрасными мирами. Шойл отличался от обыкновенных людей еще и лживыми историями, которые он рассказывал о польском восстании 1861 года. В давние времена Шойл был корчмарем в Сквире; он видел, как солдаты Николая Первого расстреливали графа Годлевского и других польских инсургентов. Может быть, он и не видел этого. Теперь-то я знаю, что Шойл был всего только старый неуч и наивный лгун, но побасенки его не забыты мной, они были хороши. И вот даже глупый Шойл пришел в гимназию прочитать таблицу с моим именем и вечером плясал и топал на нашем нищем балу.

Отец устроил бал на радостях и позвал товарищей своих — торговцев зерном, маклеров по продаже имений и вояжеров, продававших в нашей округе сельскохозяйственные машины. Вояжеры эти продавали машины всякому человеку. Мужики и помещики боялись их, от них нельзя было отделаться, не купив чего-нибудь. Изо всех евреев вояжеры самые бывалые, веселые люди. На нашем вечере они пели хасидские песни, состоявшие всего из трех слов, но певшиеся очень долго, со множеством смешных интонаций. Прелесть этих интонаций может узнать только тот, кому приходилось встречать Пасху у хасидов или кто бывал на Волыни в их шумных синагогах. Кроме вояжеров, к нам пришел старый Либерман, обучавший меня Торе и древнееврейскому языку. Его называли у нас мосье Либерман. Он выпил бессарабского вина поболее, чем ему было надо, шелковые традиционные шнурки вылезли из-под красной его жилетки, и он произнес на древнееврейском языке тост в мою честь. Старик поздравил родителей в этом тосте и сказал, что я победил на экзамене всех врагов моих, я победил русских мальчиков с толстыми щеками и сыновей грубых наших богачей. Так в древние времена Давид, царь иудейский, победил Голиафа, и подобно тому как я восторжествовал над Голиафом, так народ наш силой своего ума победит врагов, окруживших нас и ждущих нашей крови. Мосье Либерман заплакал, сказав это, плача, выпил еще вина и закричал: «Виват!» Гости взяли его в круг и стали водить с ним старинную кадриль, как на свадьбе в еврейском местечке. Все были веселы на нашем балу, даже мать пригубила вина, хоть она и не любила водки и не понимала, как можно любить ее; всех русских она считала поэтому сумасшедшими и не понимала, как живут женщины с русскими мужьями.

Но счастливые наши дни наступили позже. Они наступили для матери тогда, когда по утрам до ухода в гимназию она стала приготовлять для меня бутерброды, когда мы ходили по лавкам и покупали елочное мое хозяйство — пенал, копилку, ранец, новые книги в картонных переплетах и тетради в глянцевых обертках. Никто в мире не чувствует новых вещей сильнее, чем дети. Дети содрогаются от этого запаха, как собака от заячьего следа, и испытывают безумие, которое потом, когда мы становимся взрослыми, называется вдохновением. И это чистое детское чувство собственничества над новыми вещами передавалось матери. Мы месяц привыкали к пеналу и к утреннему сумраку, когда я пил чай на краю большого освещенного стола и собирал книги в ранец; мы месяц привыкали к счастливой нашей жизни, и только после первой четверти я вспомнил о голубях.

У меня все было припасено для них — рубль пятьдесят копеек и голубятня, сделанная из ящика дедом Шойлом. Голубятня была выкрашена в коричневую краску. Она имела гнезда для двенадцати пар голубей, разные планочки на крыше и особую решетку, которую я придумал, чтобы удобнее было приманивать чужаков. Все было готово. В воскресенье двадцатого октября я собрался на охотницкую, но на пути стали неожиданные препятствия.

История, о которой я рассказываю, то есть поступление мое в первый класс гимназии, происходила осенью тысяча девятьсот пятого года. Царь Николай давал тогда конституцию русскому народу, ораторы в худых пальто взгромождались на тумбы у здания городской думы и говорили речи народу. На улицах по ночам раздавалась стрельба, и мать не хотела отпускать меня на охотницкую. С утра в день двадцатого октября соседские мальчики пускали змей против самого полицейского участка, и водовоз наш, забросив все дела, ходил по улице напомаженный, с красным лицом. Потом мы увидели, как сыновья булочника Калистова вытащили на улицу кожаную кобылу и стали делать гимнастику посреди мостовой. Им никто не мешал, городовой Семерников подзадоривал их даже прыгать повыше. Семерников был подпоясан шелковым домотканым пояском, и сапоги его были начищены в тот день так блестко, как не бывали они начищены раньше. Городовой, одетый не по форме, больше всего испугал мою мать, из-за него она не отпускала меня, но я пробрался на улицу задворками и добежал до охотницкой, помещавшейся у нас за вокзалом.

На Охотницкой, на постоянном своем месте, сидел Иван Никодимыч, голубятник. Кроме голубей, он продавал еще кроликов и павлина. Павлин, распустив хвост, сидел на жердочке и поводил по сторонам бесстрастной головкой. Лапа его была обвязана крученой веревкой, другой конец веревки лежал прищемленный Ивана Никодимыча плетеным стулом. Я купил у старика, как только пришел, пару вишневых голубей с затрепанными пышными хвостами и пару чубатых и спрятал их в мешок за пазуху. У меня оставалось сорок копеек после покупки, но старик за эту цену не хотел отдать голубя и голубку крюковской породы. У крюковских голубей я любил их клювы, короткие, зернистые, дружелюбные. Сорок копеек была им верная цена, но охотник дорожился и отворачивал от меня желтое лицо, сожженное нелюдимыми страстями птицелова. К концу торга, видя, что не находится других покупщиков, Иван Никодимыч подозвал меня. Все вышло по-моему, и все вышло худо.

В двенадцатом часу дня или немногим позже по площади прошел человек в валеных сапогах. Он легко шел на раздутых ногах, в его истертом лице горели оживленные глаза.

— Иван Никодимыч, — сказал он, проходя мимо охотника, — складайте инструмент, в городе иерусалимские дворяне конституцию получают. На Рыбной бабелевского деда насмерть угостили.

Он сказал это и легко пошел между клетками, как босой пахарь, идущий по меже.

— Напрасно, — пробормотал Иван Никодимыч ему вслед, — напрасно, — закричал он строже и стал собирать кроликов и павлина и сунул мне крюковских голубей за сорок копеек.

Я спрятал их за пазуху и стал смотреть, как разбегаются люди с охотницкой. Павлин на плече Ивана Никодимыча уходил последним. Он сидел, как солнце в сыром осеннем небе, он сидел, как сидит июль на розовом берегу реки, раскаленный июль в длинной холодной траве. На рынке никого уже не было, и выстрелы гремели неподалеку. Тогда я побежал к вокзалу, пересек сквер, сразу опрокинувшийся в моих глазах, и влетел в пустынный переулок, утоптанный желтой землей. В конце переулка на креслице с колесиками сидел безногий Макаренко, ездивший в креслице по городу и продававший папиросы с лотка. Мальчики с нашей улицы покупали у него папиросы, дети любили его, я бросился к нему в переулок.

— Макаренко, — сказал я, задыхаясь от бега, и погладил плечо безногого, — не видал ты Шойла?

Калека не ответил, грубое его лицо, составленное из красного жира, из кулаков, из железа, просвечивало. Он в волнении ерзал на креслице, жена его. Катюша, повернувшись ваточным задом, разбирала вещи, валявшиеся на земле.

— Чего насчитала? — спросил безногий и двинулся от женщины всем корпусом, как будто ему наперед невыносим был ее ответ.

— Камашей четырнадцать штук, — сказала Катюша, не разгибаясь, — пододеяльников шесть, теперь чепцы рассчитываю…

— Чепцы! — закричал Макаренко, задохся и сделал такой звук, как будто он рыдает. — Видно, меня, Катерина, Бог сыскал, что я за всех ответить должен… Люди полотно целыми штуками носят, у людей все, как у людей, а у нас чепцы…

И в самом деле, по переулку пробежала женщина с распалившимся красивым лицом. Она держала охапку фесок в одной руке и штуку сукна в другой. Счастливым отчаянным голосом сзывала она потерявшихся детей; шелковое платье и голубая кофта волочились за летящим ее телом, и она не слушала Макаренко, катившего за ней на кресле. Безногий не поспевал за ней, колеса его гремели, он изо всех сил вертел рычажки.

— Мадамочка, — оглушительно кричал он, — где брали сарпинку, мадамочка?

Но женщины с летящим платьем уже не было. Ей навстречу из-за угла выскочила вихлявая телега. Крестьянский парень стоял стоймя в телеге.

— Куда люди побегли? — спросил парень и поднял красную вожжу над клячами, прыгавшими в хомутах.

— Люди все на Соборной, — умоляюще сказал Макаренко, — там все люди, душа-человек; чего наберешь, — все мне тащи, все покупаю…

Парень изогнулся над передком, хлестнул по пегим клячам. Лошади, как телята, прыгнули грязными своими крупами и пустились вскачь. Желтый переулок снова остался желт и пустынен; тогда безногий перевел на меня погасшие глаза.

— Меня, што ль, Бог сыскал, — сказал он безжизненно, — я вам, што ль, Сын Человеческий…

И Макаренко протянул мне руку, запятнанную проказой.

— Чего у тебя в торбе? — сказал он и взял мешок, согревший мое сердце.

Толстой рукой калека разворошил турманов и вытащил на свет вишневую голубку. Запрокинув лапки, птица лежала у него на ладони.

— Голуби, — сказал Макаренко и, скрипя колесами, подъехал ко мне, — голуби, — повторил он и ударил меня по щеке.

Он ударил меня наотмашь ладонью, сжимавшей птицу, Катюшин ваточный зад повернулся в моих зрачках, и я упал на землю в новой шинели.

— Семя ихнее разорить надо, — сказала тогда Катюша и разогнулась над чепцами, — семя ихнее я не могу навидеть и мужчин их вонючих...

Она еще сказала о нашем семени, но я ничего не слышал больше. Я лежал на земле, и внутренности раздавленной птицы стекали с моего виска. Они текли вдоль щек, извиваясь, брызгая и ослепляя меня. Голубиная нежная кишка ползла по моему лбу, и я закрывал последний незалепленный глаз, чтобы не видеть мира, расстилавшегося передо мной. Мир этот был мал и ужасен. Камешек лежал перед глазами, камешек, выщербленный, как лицо старухи с большой челюстью, обрывок бечевки валялся неподалеку и пучок перьев, еще дышавших. Мир мой был мал и ужасен. Я закрыл глаза, чтобы не видеть его, и прижался к земле, лежавшей подо мной в успокоительной немоте. Утоптанная эта земля ни в чем не была похожа на нашу жизнь и на ожидание экзаменов в нашей жизни. Где-то далеко по ней ездила беда на большой лошади, но шум копыт слабел, пропадал, и тишина, горькая тишина, поражающая иногда детей в несчастье, истребила вдруг границу между моим телом и никуда не двигавшейся землей. Земля пахла сырыми недрами, могилой, цветами. Я услышал ее запах и заплакал без всякого страха. Я шел по чужой улице, заставленной белыми коробками, шел в убранстве окровавленных перьев, один в середине тротуаров, подметенных чисто, как в воскресенье, и плакал так горько, полно и счастливо, как не плакал больше во всю мою жизнь. Побелевшие провода гудели над головой, дворняжка бежала впереди, в переулке сбоку молодой мужик в жилете разбивал раму в доме Харитона Эфрусси. Он разбивал ее деревянным молотом, замахивался всем телом и, вздыхая, улыбался на все стороны доброй улыбкой опьянения, пота и душевной силы. Вся улица была наполнена хрустом, треском, пением разлетавшегося дерева. Мужик бил только затем, чтобы перегибаться, запотевать и кричать необыкновенные слова на неведомом, нерусском языке. Он кричал их и пел, раздирал изнутри голубые глаза, пока на улице не показался крестный ход, шедший от думы. Старики с крашеными бородами несли в руках портрет расчесанного царя, хоругви с гробовыми угодниками метались над крестным ходом, воспламененные старухи летели вперед. Мужик в жилетке, увидав шествие, прижал молоток к груди и побежал за хоругвями, а я, выждав конец процессии, пробрался к нашему дому. Он был пуст. Белые двери его были раскрыты, трава у голубятни вытоптана. Один Кузьма не ушел со двора. Кузьма, дворник, сидел в сарае и убирал мертвого Шойла.

— Ветер тебя носит, как дурную щепку, — сказал старик, увидев меня, — убег на целые веки… Тут народ деда нашего, вишь, как тюкнул…

Кузьма засопел, отвернулся и стал вынимать у деда из прорехи штанов судака. Их было два судака всунуты в деда: один в прореху штанов, другой в рот, и хоть дед был мертв, но один судак жил еще и содрогался.

— Деда нашего тюкнули, никого больше, — сказал Кузьма, выбрасывая судаков кошке, — он весь народ из матери в мать погнал, изматерил дочиста, такой славный… Ты бы ему пятаков на глаза нанес…

Но тогда, десяти лет от роду, я не знал, зачем бывают надобны пятаки мертвым людям.

— Кузьма, — сказал я шепотом, — спаси нас…

И я подошел к дворнику, обнял его старую кривую спину с одним поднятым плечом и увидел деда из-за этой спины. Шойл лежал в опилках, с раздавленной грудью, с вздернутой бородой, в грубых башмаках, одетых на босу ногу. Ноги его, положенные врозь, были грязны, лиловы, мертвы. Кузьма хлопотал вокруг них, он подвязал челюсти и все примеривался, чего бы ему еще сделать с покойником. Он хлопотал, как будто у него в дому была обновка, и остыл, только расчесав бороду мертвецу.

— Всех изматерил, — сказал он, улыбаясь, и оглянул труп с любовью, — кабы ему татары попались, он татар погнал бы, но тут русские подошли, и женщины с ними, кацапки; кацапам людей прощать обидно, я кацапов знаю…

Дворник подсыпал покойнику опилок, сбросил плотницкий передник и взял меня за руку.

— Идем к отцу, — пробормотал он, сжимая меня все крепче, — отец твой с утра тебя ищет, как бы не помер…

И вместе с Кузьмой мы пошли к дому податного инспектора, где спрятались мои родители, убежавшие от погрома.

ПЕРВАЯ ЛЮБОВЬ

Десяти лет от роду я полюбил женщину по имени Галина Аполлоновна. Фамилия ее была Рубцова. Муж ее, офицер, уехал на японскую войну и вернулся в октябре тысяча девятьсот пятого года. Он привез с собой много сундуков. В этих сундуках были китайские вещи: ширмы, драгоценное оружие, всего тридцать пудов. Кузьма говорил нам, что Рубцов купил эти вещи на деньги, которые он нажил на военной службе в инженерном управлении Маньчжурской армии. Кроме Кузьмы, другие люди говорили то же. Людям трудно было не судачить о Рубцовых, потому что Рубцовы были счастливы. Дом их прилегал к нашему владению, стеклянная их терраса захватывала часть нашей земли, но отец не бранился с ними из-за этого. Рубцов, податной инспектор, слыл в нашем городе справедливым человеком, он водил знакомство с евреями. И когда с японской войны приехал офицер, сын старика, все мы увидели, как дружно и счастливо они зажили. Галина Аполлоновна по целым дням держала мужа за руки. Она не сводила с него глаз, потому что не видела мужа полтора года, но я ужасался ее взгляда, отворачивался и трепетал. Я видел в них удивительную постыдную жизнь всех людей на земле, я хотел заснуть необыкновенным сном, чтобы мне забыть об этой жизни, превосходящей мечты. Галина Аполлоновна ходила, бывало, по комнате с распущенной косой, в красных башмаках и китайском халате. Под кружевами ее рубашки, вырезанной низко, видно было углубление и начало белых, вздутых, отдавленных книзу грудей, а на халате розовыми шелками вышиты были драконы, птицы, дуплистые деревья.

Весь день она слонялась с неясной улыбкой на мокрых губах и наталкивалась на нераспакованные сундуки, на гимнастические лестницы, разбросанные по полу. У Галины делались ссадины от этого, она подымала халат выше колена и говорила мужу:

— Поцелуй ваву…

И офицер, сгибая длинные ноги, одетые в драгунские чикчиры, в шпоры, в лайковые обтянутые сапоги, становился на грязный пол, и, улыбаясь, двигая ногами и подползая на коленях, он целовал ушибленное место, то место, где была пухлая складка от подвязки. Из моего окна я видел эти поцелуи. Они причиняли мне страдания, но об этом не стоит рассказывать, потому что любовь и ревность десятилетних мальчиков во всем похожи на любовь и ревность взрослых мужчин. Две недели я не подходил к окну и избегал Галины, пока случай не свел меня с нею. Случай этот был еврейский погром, разразившийся в пятом году в Николаеве и в других городах еврейской черты оседлости. Толпа наемных убийц разграбила лавку отца и убила деда моего Шойла. Все это случилось без меня, я покупал в то утро голубей у охотника Ивана Никодимыча. Пять лет из прожитых мною десяти я всею силою души мечтал о голубях, и вот, когда я купил их, калека Макаренко разбил голубей на моем виске. Тогда Кузьма отвел меня к Рубцовым. У Рубцовых на калитке был мелом нарисован крест, их не трогали, они спрятали у себя моих родителей. Кузьма привел меня на стеклянную террасу. Там сидела мать в зеленой ротонде и Галина.

— Нам надо умыться, — сказала мне Галина, — нам надо умыться, маленький раввин… У нас все лицо в перьях, и перья-то в крови…

Она обняла меня и повела по коридору, резко пахнувшему. Голова моя лежала на бедре Галины, бедро ее двигалось и дышало. Мы пришли на кухню, и Рубцова поставила меня под кран. Гусь жарился на кафельной плите, пылающая посуда висела по стенам, и рядом с посудой, в кухаркином углу, висел царь Николай, убранный бумажными цветами. Галина смыла остатки голубя, присохшие к моим щекам.

— Жених будешь, мой гарнесенький, — сказала она, — поцеловав меня в губы запухшим ртом, и отвернулась.

— Ты видишь, — прошептала она вдруг, — у папки твоего неприятности, он весь день ходит по улицам без дела, позови папку домой…

И я увидел из окна пустую улицу с громадным небом над ней и рыжего моего отца, шедшего по мостовой. Он шел без шапки, весь в легких поднявшихся рыжих волосах, с бумажной манишкой, свороченной набок и застегнутой на какую-то пуговицу, но не на ту, на которую следовало. Власов, испитой рабочий в солдатских ваточных лохмотьях, неотступно шел за отцом.

— Так, — говорил он душевным хриплым голосом и обеими руками ласково трогал отца, — не надо нам свободы, чтобы жидам было свободно торговать… Ты подай светлость жизни рабочему человеку за труды за его, за ужасную эту громадность… Ты подай ему, друг, слышь, подай…

Рабочий молил о чем-то отца и трогал его, полосы чистого пьяного вдохновения сменялись на его лице унынием и сонливостью.

— На молокан должна быть похожа наша жизнь, — бормотал он и пошатывался на подворачивающихся ногах, — вроде молокан должна быть наша жизнь, но только без Бога этого сталоверского, от него евреям выгода, другому никому…

И Власов с отчаянием закричал о сталоверском Боге, пожалевшем одних евреев. Власов вопил, спотыкался и догонял неведомого своего Бога, но в эту минуту казачий разъезд перерезал ему путь. Офицер в лампасах, в серебряном парадном поясе ехал впереди отряда, высокий картуз был поставлен на его голове. Офицер ехал медленно и не смотрел по сторонам. Он ехал как бы в ущелье, где смотреть можно только вперед.

— Капитан, — прошептал отец, когда казак поравнялся с ним, — капитан, — сжимая голову, сказал отец и стал коленями в грязь.

— Чем могу? — ответил офицер, глядя по-прежнему вперед, и поднес к козырьку руку в замшевой лимонной перчатке.

Впереди, на углу Рыбной улицы, громилы разбивали нашу лавку и выкидывали из нее ящики с гвоздями, машинами и новый мой портрет в гимназической форме.

— Вот, — сказал отец и не встал с колен, — они разбивают кровное, капитан, за что…

Офицер что-то пробормотал, приложил к козырьку лимонную перчатку и тронул повод, но лошадь не пошла. Отец ползал перед ней на коленях, притирался к коротким ее, добрым, чуть взлохмаченным ногам.

— Слушаю-с, — сказал капитан, дернул повод и уехал, за ним двинулись казаки.

Они бесстрастно сидели в высоких седлах, ехали в воображаемом ущелье и скрылись в повороте на Соборную улицу.

Тогда Галина опять подтолкнула меня к окну.

— Позови папку домой, — сказала она, — он с утра ничего не ел.

И я высунулся из окна.

Отец обернулся, услышав мой голос.

— Сыночка моя, — пролепетал он с невыразимой нежностью.

И вместе с ним мы пошли на террасу к Рубцовым, где лежала мать в зеленой ротонде. Рядом с ее кроватью валялись гантели и гимнастический аппарат.

— Паршивые копейки, — сказала мать нам навстречу, — человеческую жизнь, и детей, и несчастное наше счастье, — ты все им отдал… Паршивые копейки, — закричала она хриплым, не своим голосом, дернулась на кровати и затихла.

И тогда в тишине стала слышна моя икота. Я стоял у стены в нахлобученном картузе и не мог унять икоты.

— Стыдно так, мой гарнесенький, — улыбнулась Галина пренебрежительной своей улыбкой и ударила меня негнущимся халатом. Она прошла в красных башмаках к окну и стала навешивать китайские занавески на диковинный карниз. Обнаженные ее руки утопали в шелку, живая коса шевелилась на ее бедре, я смотрел на нее с восторгом.

Ученый мальчик, я смотрел на нее, как на далекую сцену, освещенную многими софитами. И тут же я вообразил себя Мироном, сыном угольщика, торговавшего на нашем углу. Я вообразил себя в еврейской самообороне, и вот, как и Мирон, я хожу в рваных башмаках, подвязанных веревкой. На плече, на зеленом шнурке, у меня висит негодное ружье, я стою на коленях у старого дощатого забора и отстреливаюсь от убийц. За забором моим тянется пустырь, на нем свалены груды запылившегося угля, старое ружье стреляет дурно, убийцы, в бородах, с белыми зубами, все ближе подступают ко мне; я испытываю гордое чувство близкой смерти и вижу в высоте, в синеве мира, Галину. Я вижу бойницу, прорезанную в стене гигантского дома, выложенного мириадами кирпичей. Пурпурный этот дом попирает переулок, в котором плохо убита серая земля, в верхней бойнице его стоит Галина. Пренебрежительной своей улыбкой она улыбается из недосягаемого окна, муж, полуодетый офицер, стоит за спиной и целует ее в шею…

Пытаясь унять икоту, я вообразил себе все это затем, чтобы мне горше, горячей, безнадежней любить Рубцову, и, может быть, потому, что мера скорби велика для десятилетнего человека. Глупые мечты помогли мне забыть смерть голубей и смерть Шойла, я позабыл бы, пожалуй, об этих убийствах, если бы в ту минуту на террасу не взошел Кузьма с ужасным этим евреем Абой.

Были сумерки, когда они пришли. На террасе горела скудная лампа, покривившаяся в каком-то боку, — мигающая лампа, спутник несчастий.

— Я деда обрядил, — сказал Кузьма, входя, — теперь очень красивые лежат, — вот и служку привел, пускай поговорит чего-нибудь над стариком…

И Кузьма показал на шамеса Абу.

— Пускай поскулит, — проговорил дворник дружелюбно, — служке кишку напихать — служка цельную ночь Богу надоедать будет…

Он стоял на пороге — Кузьма — с добрым своим перебитым носом, повернутым во все стороны, и хотел рассказать как можно душевнее о том, как он подвязывал челюсти мертвецу, но отец прервал старика.

— Прошу вас, реб Аба, — сказал отец, — помолитесь над покойником, я заплачу вам…

— А я опасываюсь, что вы не заплатите, — скучным голосом ответил Аба и положил на скатерть бородатое брезгливое лицо, — я опасываюсь, что вы заберете мой карбач и уедете с ним в Аргентину, в Буэнос-Айрес, и откроете там оптовое дело на мой карбач… Оптовое дело, — сказал Аба, пожевал презрительными губами и потянул к себе газету «Сын отечества», лежавшую на столе. В газете этой было напечатано о царском манифесте 17 октября и о свободе.

— «...Граждане свободной России, — читал Аба газету по складам и разжевывал бороду, которой он набрал полон рот, — граждане свободной России, с светлым вас Христовым Воскресением...»

Газета стояла боком перед старым шамесом и колыхалась: он читал ее сонливо, нараспев и делал удивительные ударения на незнакомых ему русских словах. Ударения Абы были похожи на глухую речь негра, прибывшего с родины в русский порт. Они рассмешили даже мать мою.

— Я делаю грех, — вскричала она, высовываясь из-под ротонды, — я смеюсь, Аба... Скажите лучше, как вы поживаете и как семья ваша?

— Спросите меня о чем-нибудь другом, — пробурчал Аба, не выпуская бороды из зубов и продолжая читать газету.

— Спроси его о чем-нибудь другом, — вслед за Абой сказал отец и вышел на середину комнаты. Глаза его, улыбавшиеся нам в слезах, повернулись вдруг в орбитах и уставились в точку, никому не видную.

— Ой, Шойл, — произнес отец ровным, лживым, приготовляющимся голосом, — ой, Шойл, дорогой человек...

Мы увидели, что он закричит сейчас, но мать предупредила нас.

— Манус, — закричала она, растрепавшись мгновенно, и стала обрывать мужу грудь, — смотри, как худо нашему ребенку, отчего ты не слышишь его икотки, отчего это, Манус?..

Отец умолк.

— Рахиль, — сказал он боязливо, — нельзя передать тебе, как я жалею Шойла...

Он ушел в кухню и вернулся оттуда со стаканом воды.

— Пей, артист, — сказал Аба, подходя ко мне, — пей эту воду, которая поможет тебе, как мертвому кадило...

И правда, вода не помогла мне. Я икал все сильнее. Рычание вырывалось из моей груди. Опухоль, приятная на ощупь, вздулась у меня на горле. Опухоль дышала, надувалась, перекрывала глотку и вываливалась из воротника. В ней клокотало разорванное мое дыхание. Оно клокотало, как закипевшая вода. И когда к ночи я не был уже больше лопоухий мальчик, каким я был во всю мою прежнюю жизнь, а стал извивающимся клубком, тогда мать, закутавшись в шаль и ставшая выше ростом и стройнее, подошла к помертвевшей Рубцовой.

— Милая Галина, — сказала мать певучим, сильным голосом, — как мы беспокоим вас, и милую Надежду Ивановну, и всех ваших… Как мне стыдно, милая Галина…

С пылающими щеками мать теснила Галину к выходу, потом она кинулась ко мне и сунула шаль мне в рот, чтобы подавить мой стон.

— Потерпи, сынок, — шептала мать, — потерпи для мамы…

Но хоть бы и можно терпеть, я не стал бы этого делать, потому что не испытывал больше стыда…

Так началась моя болезнь. Мне было тогда десять лет. Наутро меня повели к доктору. Погром продолжался, но нас не тронули. Доктор, толстый человек, нашел у меня нервную болезнь.

Он велел поскорее ехать в Одессу, к профессорам, и дожидаться там тепла и морских купаний.

Мы так и сделали. Через несколько дней я выехал с матерью в Одессу к деду Лейви-Ицхоку и к дяде Симону. Мы выехали утром на пароходе, и уже к полдню бурные воды Буга сменились тяжелой зеленой волной моря. Передо мною открывалась жизнь у безумного деда Лейви-Ицхока, и я навсегда простился с Николаевом, где прошли десять лет моего детства.

КАРЛ-ЯНКЕЛЬ

В пору моего детства на Пересыпи была кузница Иойны Брутмана. В ней собирались барышники лошадьми, ломовые извозчики — в Одессе они называются биндюжниками — и мясники с городских скотобоен. Кузница стояла у Балтской дороги. Избрав ее наблюдательным пунктом, можно было перехватить мужиков, возивших в город овес и бессарабское вино. Иойна был пугливый, маленький человек, но к вину он был приучен, в нем жила душа одесского еврея.

В мою пору у него росли три сына. Отец доходил им до пояса. На пересыпском берегу я впервые задумался о могуществе сил, тайно живущих в природе. Три раскормленных бугая с багровыми плечами и ступнями лопатой — они сносили сухонького Ойну в воду, как сносят младенца. И все-таки родил их он и никто другой. Тут не было сомнений. Жена кузнеца ходила в синагогу два раза в неделю — в пятницу вечером и в субботу утром; синагога была хасидская, там доплясывались на Пасху до исступления, как дервиши. Жена Иойны платила дань эмиссарам, которых рассылали по южным губерниям галицийские цадики. Кузнец не вмешивался в отношения жены своей к Богу — после работы он уходил в погребок возле скотобойни и там, потягивая дешевое розовое вино, кротко слушал, о чем говорили люди, — о ценах на скот и политике.

Ростом и силой сыновья походили на мать. Двое из них, подросши, ушли в партизаны. Старшего убили под Вознесенском, другой Брутман, Семен, перешел к Примакову — в дивизию червонного казачества. Его выбрали командиром казачьего полка. С него и еще с нескольких местечковых юношей началась эта неожиданная порода еврейских рубак, наездников и партизанов.

Третий сын стал кузнецом по наследству. Он работает на плужном заводе Гена на старых местах. Он не женился и никого не родил.

Дети Семена кочевали вместе с его дивизией. Старухе нужен был внук, которому она могла бы рассказать о Баал-Шеме. Внука она дождалась от младшей дочери Поли. Одна во всей семье девочка пошла в маленького Иойну. Она была пуглива, близорука, с нежной кожей. К ней присватывались многие. Поля выбрала Овсея Белоцерковского. Мы не поняли этого выбора. Еще удивительнее было известие о том, что молодые живут счастливо. У женщин свое хозяйство; постороннему не видно, как бьются горшки. Но тут горшки разбил Овсей Белоцерковский. Через год после женитьбы он подал в суд на тещу свою Брану Брутман. Воспользовавшись тем, что Овсей был в командировке, а Поля ушла в больницу лечиться от грудницы, старуха похитила новорожденного внука, отнесла его к малому оператору Нафтуле Герчику, и там в присутствии десяти развалин, десяти древних и нищих стариков, завсегдатаев хасидской синагоги, над младенцем был совершен обряд обрезания.

Новость эту Овсей Белоцерковский узнал после приезда. Овсей был записан кандидатом в партию. Он решил посоветоваться с секретарем ячейки Госторга Бычачем.

— Тебя морально запачкали, — сказал ему Бычач, — ты должен двинуть это дело…

Одесская прокуратура решила устроить показательный суд на фабрике имени Петровского. Малый оператор Нафтула Герчик и Брана Брутман, шестидесяти двух лет, очутились на скамье подсудимых.

Нафтула был в Одессе такое же городское имущество, как памятник дюку де Ришелье. Он проходил мимо наших окон на Дальницкой с трепаной, засаленной акушерской сумкой в руках. В этой сумке хранились немудрящие его инструменты. Он вытаскивал оттуда то ножик, то бутылку водки с медовым пряником. Он нюхал пряник, прежде чем выпить, и, выпив, затягивал молитвы. Он был рыж, Нафтула, как первый рыжий человек на земле. Отрезая то, что ему причиталось, он не отцеживал кровь через стеклянную трубочку, а высасывал ее вывороченными своими губами. Кровь размазывалась по всклокоченной его бороде. Он выходил к гостям захмелевший. Медвежьи глазки его сияли весельем. Рыжий, как первый рыжий человек на земле, он гнусавил благословение над вином. Одной рукой Нафтула опрокидывал в заросшую, кривую, огнедышащую яму своего рта водку, в другой руке у него была тарелка. На ней лежал ножик, обагренный младенческой кровью, и кусок марли. Собирая деньги, Нафтула обходил с этой тарелкой гостей, он толкался между женщинами, валился на них, хватал за груди и орал на всю улицу.

— Толстые мамы, — орал старик, сверкая коралловыми глазками, — печатайте мальчиков для Нафтулы, молотите пшеницу на ваших животах, старайтесь для Нафтулы… Печатайте мальчиков, толстые мамы…

Мужья бросали деньги в его тарелку. Жены вытирали салфетками кровь с его бороды. Дворы Глухой и Госпитальной не оскудевали. Они кишели детьми, как устья рек икрой. Нафтула плелся со своим мешком, как сборщик подати. Прокурор Орлов остановил Нафтулу в его обходе.

Прокурор гремел с кафедры, стремясь доказать, что малый оператор является служителем культа.

— Верите ли вы в Бога? — спросил он Нафтулу.

— Пусть в Бога верит тот, кто выиграл двести тысяч, — ответил старик.

— Вас не удивил приход гражданки Брутман в поздний час, в дождь, с новорожденным на руках?..

— Я удивляюсь, — сказал Нафтула, — когда человек делает что-нибудь по-человечески, а когда он делает сумасшедшие штуки — я не удивляюсь...

Ответы эти не удовлетворили прокурора. Речь шла о стеклянной трубочке. Прокурор доказывал, что, высасывая кровь губами, подсудимый подвергал детей опасности заражения. Голова Нафтулы — кудлатый орешек его головы — болталась где-то у самого пола. Он вздыхал, закрывал глаза и вытирал кулачком провалившийся рот.

— Что вы бормочете, гражданин Герчик? — спросил его председатель.

Нафтула устремил потухший взгляд на прокурора Орлова.

— У покойного мосье Зусмана, — сказал он, вздыхая, — у покойного вашего папаши была такая голова, что во всем свете не найти другую такую. И, слава Богу, у него не было апоплексии, когда он тридцать лет тому назад позвал меня на ваш брис [1]. И вот мы видим, что вы выросли большой человек у Советской власти и что Нафтула не захватил вместе с этим куском пустяков ничего такого, что бы вам потом пригодилось...

Он заморгал медвежьими глазками, покачал рыжим своим орешком и замолчал. Ему ответили орудия смеха, громовые залпы хохота. Орлов, урожденный Зусман, размахивая руками, кричал что-то, чего в канонаде нельзя было расслышать. Он требовал занесения в протокол... Саша Светлов, фельетонист «Одесских известий», послал ему из ложи прессы записку. «Ты баран, Сема, — значилось в записке, — убей его иронией, убивает исключительно смешное... Твой *Саша*».

---

[1] Брис — обряд обрезания (*евр.*).

Зал притих, когда ввели свидетеля Белоцерковского.

Свидетель повторил письменное свое заявление. Он был долговяз, в галифе и кавалерийских ботфортах. По словам Овсея, Тираспольский и Балтский укомы партии оказывали ему полное содействие в работе по заготовке жмыхов. В разгаре заготовок он получил телеграмму о рождении сына. Посоветовавшись с заворгом Балтского укома, он решил, не срывая заготовок, ограничиться посылкой поздравительной телеграммы, приехал же он только через две недели. Всего было собрано по району шестьдесят четыре тысячи пудов жмыха. На квартире, кроме свидетельницы Харченко, соседки, по профессии прачки, и сына, он никого не застал. Супруга его отлучилась в лечебницу, а свидетельница Харченко, раскачивая люльку, что является устарелым, пела над ним песенку. Зная свидетельницу Харченко как алкоголика, он не счел нужным вникать в слова ее пения, но только удивился тому, что она называет мальчика Яшей, в то время как он указал назвать сына Карлом, в честь учителя Карла Маркса. Распеленав ребенка, он убедился в своем несчастье.

Несколько вопросов задал прокурор. Защита объявила, что у нее вопросов нет. Судебный пристав ввел свидетельницу Полину Белоцерковскую. Шатаясь, она подошла к барьеру. Голубоватая судорога недавнего материнства кривила ее лицо, на лбу стояли капли пота. Она обвела взглядом маленького кузнеца, вырядившегося точно в праздник — в бант и новые штиблеты, и медное, в седых усах, лицо матери. Свидетельница Белоцерковская не ответила на вопрос о том, чтó ей известно по данному делу. Она сказала, что отец ее был бедным человеком, сорок лет проработал он в кузнице на Балтской дороге. Мать родила шестерых детей, из них трое умерли, один является красным командиром, другой работает на заводе Гена...

— Мать очень набожна, это все видят, она всегда страдала от того, что дети ее неверующие, и не могла перенести мысли о том, что внуки ее не будут евреями. Надо принять во внимание — в какой семье мать выросла... Местечко Меджибож всем известно, женщины там до сих пор носят парики...

— Скажите, свидетельница, — прервал ее резкий голос. Полина замолкла, капли пота окрасились на ее лбу, кровь, казалось, просачивается сквозь тонкую кожу. — Скажите, свидетельница, — повторил голос, принадлежавший бывшему присяжному поверенному Самуилу Линингу…

Если бы синедрион существовал в наши дни, Лининг был бы его главой. Но синедриона нет, и Лининг, в двадцать пять лет обучившийся русской грамоте, стал на четвертом десятке писать в сенат кассационные жалобы, ничем не отличавшиеся от трактатов Талмуда…

Старик проспал весь процесс. Пиджак его был засыпан пеплом. Он проснулся при виде Поли Белоцерковской.

— Скажите, свидетельница, — рыбий ряд синих выпадающих его зубов затрещал, — вам известно было о решении мужа назвать сына Карлом?

— Да.

— Как назвала его ваша мать?

— Янкелем.

— А вы, свидетельница, как вы называли вашего сына?

— Я называла его «дусенькой».

— Почему именно дусенькой?..

— Я всех детей называю дусеньками…

— Идем дальше, — сказал Лининг, зубы его выпали, он подхватил их нижней губой и опять сунул в челюсть, — идем далее… Вечером, когда ребенок был унесен к подсудимому Герчику, вас не было дома, вы были в лечебнице… Я правильно излагаю?

— Я была в лечебнице.

— В какой лечебнице вас пользовали?..

— На Нежинской улице, у доктора Дризо…

— Пользовали у доктора Дризо…

— Да.

— Вы хорошо это помните?..

— Как могу я не помнить…

— Имею представить суду справку, — безжизненное лицо Лининга приподнялось над столом, — из этой справки суд усмотрит, что в период времени, о котором идет речь, доктор Дризо отсутствовал и находился на конгрессе педиатров в Харькове…

Прокурор не возражал против приобщения справки.

— Идем далее, — треща зубами, сказал Лининг.

Свидетельница всем телом налегла на барьер. Шепот ее был едва слышен.

— Может быть, это не был доктор Дризо, — сказала она, лежа на барьере, — я не могу всего запомнить, я измучена…

Лининг чесал карандашом в желтой бороде, он терся сутулой спиной о скамью и двигал вставными зубами.

На просьбу предъявить бюллетень из страхкассы Белоцерковская ответила, что она потеряла его…

— Идем далее, — сказал старик.

Полина провела ладонью по лбу. Муж ее сидел на краю скамьи, отдельно от других свидетелей. Он сидел выпрямившись, подобрав под себя длинные ноги в кавалерийских ботфортах… Солнце падало на его лицо, набитое перекладинами мелких и злых костей.

— Я найду бюллетень, — прошептала Полина, и руки ее соскользнули с барьера.

Детский плач раздался в это мгновенье. За дверью плакал и кряхтел ребенок.

— О чем ты думаешь, Поля, — густым голосом прокричала старуха, — ребенок с утра не кормленный, ребенок захлял от крика…

Красноармейцы, вздрогнув, подобрали винтовки. Полина скользила все ниже, голова ее закинулась и легла на пол. Руки взлетели, задвигались в воздухе и обрушились.

— Перерыв, — закричал председатель.

Грохот взорвался в зале. Блестя зелеными впадинами, Белоцерковский журавлиными шагами подошел к жене.

— Ребенка покормить, — приставив руки рупором, крикнули из задних рядов.

— Покормят, — ответил издалека женский голос, — тебя дожидались…

— Припутана дочка, — сказал рабочий, сидевший рядом со мной, — дочка в доле…

— Семья, брат, — произнес его сосед, — ночное дело, темное… Ночью запутают, днем не распутаешь…

Солнце косыми лучами рассекало зал. Толпа туго ворочалась, дышала огнем и потом. Работая локтями, я пробрался в коридор. Дверь из красного уголка была приоткрыта. Оттуда доносилось кряхтенье и чавканье Карл-Янкеля. В красном уголке висел портрет Ленина, тот, где он говорит с броневика на площади Финляндского вокзала; портрет окружали цветные диаграммы выработки фабрики имени Петровского. Вдоль стены стояли знамена и ружья в деревянных станках. Работница с лицом киргизки, наклонив голову, кормила Карл-Янкеля. Это был пухлый человек пяти месяцев от роду в вязаных носках и с белым хохлом на голове. Присосавшись к киргизке, он урчал и стиснутым кулачком колотил свою кормилицу по груди.

— Галас какой подняли, — сказала киргизка, — найдется кому покормить…

В комнате вертелась еще девчонка лет семнадцати, в красном платочке и с щеками, торчавшими, как шишки. Она вытирала досуха клеенку Карл-Янкеля.

— Он военный будет, — сказала девочка, — ишь дерется…

Киргизка, легонько потягивая, вынула сосок изо рта Карл-Янкеля. Он заворчал и в отчаянии запрокинул голову — с белым хохолком… Женщина высвободила другую грудь и дала ее мальчику. Он посмотрел на сосок мутными глазенками, что-то сверкнуло в них. Киргизка смотрела на Карл-Янкеля сверху, скосив черный глаз.

— Зачем военный, — сказала она, поправляя мальчику чепец, — он авиатор у нас будет, он под небом летать будет…

В зале возобновилось заседание.

Бой шел теперь между прокурором и экспертами, давшими уклончивое заключение. Общественный обвинитель, приподнявшись, стучал кулаком по пюпитру. Мне видны были и первые ряды публики — галицийские цадики, положившие на колени бобровые свои шапки. Они приехали на процесс, где, по словам варшавских газет, собирались судить еврейскую религию. Лица раввинов, сидевших в первом ряду, повисли в бурном пыльном сиянии солнца.

— Долой! — крикнул комсомолец, пробравшись к самой сцене.

Бой разгорался жарче.

Карл-Янкель, бессмысленно уставившись на меня, сосал грудь киргизки.

Из окна летели прямые улицы, исхоженные детством моим и юностью, — Пушкинская тянулась к вокзалу, Мало-Арнаутская вдавалась в парк у моря.

Я вырос на этих улицах, теперь наступил черед Карл-Янкеля, но за меня не дрались так, как дерутся за него, мало кому было дела до меня.

— Не может быть, — шептал я себе, — чтобы ты не был счастлив, Карл-Янкель... Не может быть, чтобы ты не был счастливее меня...

ПРОБУЖДЕНИЕ

Все люди нашего круга — маклеры, лавочники, служащие в банках и пароходных конторах — учили детей музыке. Отцы наши, не видя себе ходу, придумали лотерею. Они устроили ее на костях маленьких людей. Одесса была охвачена этим безумием больше других городов. И правда — в течение десятилетий наш город поставлял вундеркиндов на концертные эстрады мира. Из Одессы вышли Миша Эльман, Цимбалист, Габрилович, у нас начинал Яша Хейфец.

Когда мальчику исполнялось четыре или пять лет — мать вела крохотное, хилое это существо к господину Загурскому. Загурский содержал фабрику вундеркиндов, фабрику еврейских карликов в кружевных воротничках и лаковых туфельках. Он выискивал их в молдаванских трущобах, в зловонных дворах Старого базара. Загурский давал первое направление, потом дети отправлялись к профессору Ауэру в Петербург. В душах этих заморышей с синими раздутыми головами жила могучая гармония. Они стали прославленными виртуозами. И вот — отец мой решил угнаться за ними. Хоть я и вышел из возраста вундеркиндов — мне шел четырнадцатый год, но по росту и хилости меня можно было сбыть за восьмилетнего. На это была вся надежда.

Меня отвели к Загурскому. Из уважения к деду он согласился брать по рублю за урок — дешевая плата. Дед мой Лейви-Ицхок был посмешище города и украшение его. Он расхаживал по улицам в цилиндре и в опорках и разрешал сомнения в самых темных делах. Его спрашивали, что такое гобелен, отчего якобинцы предали Робеспьера, как готовится искусственный шелк, что такое кесарево сечение. Мой дед мог ответить на эти вопросы. Из уважения к учености его и безумию Загурский брал с нас по рублю за урок. Да и возился он со мною, боясь деда, потому что возиться было не с чем. Звуки ползли с моей скрипки, как железные опилки. Меня самого эти звуки резали по сердцу, но отец не отставал. Дома только и было разговора о Мише Эльмане, самим царем освобожденном от военной службы. Цимбалист, по сведениям моего отца, представлялся английскому королю и играл в Букингэмском дворце; родители Габриловича купили два дома в Петербурге. Вундеркинды принесли своим родителям богатство. Мой отец примирился бы с бедностью, но слава была нужна ему.

— Не может быть, — нашептывали люди, обедавшие за его счет, — не может быть, чтобы внук такого деда…

У меня же в мыслях было другое. Проигрывая скрипичные упражнения, я ставил на пюпитре книги Тургенева или Дюма, — и, пиликая, пожирал страницу за страницей. Днем я рассказывал небылицы соседским мальчишкам, ночью переносил их на бумагу. Сочинительство было наследственное занятие в нашем роду. Лейви-Ицхок, тронувшийся к старости, всю жизнь писал повесть под названием «Человек без головы». Я пошел в него.

Нагруженный футляром и нотами, я три раза в неделю тащился на улицу Витте, бывшую Дворянскую, к Загурскому. Там, вдоль стен, дожидаясь очереди, сидели еврейки, истерически воспламененные. Они прижимали к слабым своим коленям скрипки, превосходившие размерами тех, кому предстояло играть в Букингэмском дворце.

Дверь в святилище открывалась. Из кабинета Загурского, шатаясь, выходили головастые, веснушчатые дети с тонкими шеями, как стебли цветов, и припадочным румянцем на щеках. Дверь захлопывалась, поглотив следующего карлика. За стеной, надрываясь, пел, дирижировал учитель, с бантом, в рыжих кудрях, с жидкими ногами. Управитель чудовищной лотереи — он населял Молдаванку и черные тупики Старого рынка призраками пиччикато и кантилены.

Этот распев доводил потом до дьявольского блеска старый профессор Ауэр.

В этой секте мне нечего было делать. Такой же карлик, как и они, я в голосе предков различал другое внушение.

Трудно мне дался первый шаг. Однажды я вышел из дому, навьюченный футляром, скрипкой, нотами и двенадцатью рублями денег — платой за месяц ученья. Я шел по Нежинской улице, мне бы повернуть на Дворянскую, чтобы попасть к Загурскому, вместо этого я поднялся вверх по Тираспольской и очутился в порту. Положенные мне три часа пролетели в Практической гавани. Так началось освобождение. Приемная Загурского больше не увидела меня. Дела поважнее заняли все мои помыслы. С однокашником моим Немановым мы повадились на пароход «Кенсингтон» к старому одному матросу по имени мистер Троттибэрн. Неманов был на год моложе меня, он с восьми лет занимался самой замысловатой торговлей в мире. Он был гений в торговых делах и исполнил все, что обещал. Теперь он миллионер в Нью-Йорке, директор General Motors C°, компании столь же могущественной, как и Форд. Неманов таскал меня с собой потому, что я повиновался ему молча. Он покупал у мистера Троттибэрна трубки, провозимые контрабандой. Эти трубки точил в Линкольне брат старого матроса.

— Джентльмены, — говорил нам мистер Троттибэрн, — помяните мое слово, детей надо делать собственноручно... Курить фабричную трубку — это то же, что вставлять себе в рот клистир... Знаете ли вы, кто такое был Бенвенуто Челлини?.. Это был мастер. Мой брат в Линкольне мог бы рассказать вам о нем. Мой брат никому не мешает жить. Он только убежден в том, что детей надо делать своими руками, а не чужими... Мы не можем не согласиться с ним, джентльмены...

Неманов продавал трубки Троттибэрна директорам банка, иностранным консулам, богатым грекам. Он наживал на них сто на сто.

Трубки линкольнского мастера дышали поэзией. В каждую из них была уложена мысль, капля вечности. В их мундштуке светился желтый глазок, футляры были выложены атласом. Я старался представить себе, как живет в старой Англии Мэтью Троттибэрн, последний мастер трубок, противящийся ходу вещей.

— Мы не можем не согласиться с тем, джентльмены, что детей надо делать собственноручно...

Тяжелые волны у дамбы отдаляли меня все больше от нашего дома, пропахшего луком и еврейской судьбой. С Практической гавани я перекочевал за волнорез. Там на клочке песчаной отмели обитали мальчишки с Приморской улицы. С утра до ночи они не натягивали на себя штанов, ныряли под шаланды, воровали на обед кокосы и дожидались той поры, когда из Херсона и Каменки потянутся дубки с арбузами и эти арбузы можно будет раскалывать о портовые причалы.

Мечтой моей сделалось уменье плавать. Стыдно было сознаться бронзовым этим мальчишкам в том, что, родившись в Одессе, я до десяти лет не видел моря, а в четырнадцать не умел плавать.

Как поздно пришлось мне учиться нужным вещам! В детстве, пригвожденный к Гемаре, я вел жизнь мудреца, выросши — стал лазать по деревьям.

Уменье плавать оказалось недостижимым. Водобоязнь всех предков — испанских раввинов и франкфуртских менял — тянула меня ко дну. Вода меня не держала. Исполосованный, налитый соленой водой, я возвращался на берег — к скрипке и нотам. Я привязан был к орудиям моего преступления и таскал их с собой. Борьба раввинов с морем продолжалась до тех пор, пока надо мной не сжалился водяной бог тех мест — корректор «Одесских новостей» Ефим Никитич Смолич. В атлетической груди этого человека жила жалость к еврейским мальчикам. Он верховодил толпами рахитичных заморышей. Никитич собирал их в клоповниках на Молдаванке, вел их к морю, зарывал в песок, делал с ними гимнастику, нырял с ними, обучал песням и, прожариваясь в прямых лучах солнца, рассказывал истории о рыбаках и животных. Взрослым Никитич объяснял, что он натурфилософ. Еврейские дети от историй Никитича помирали со смеху, они визжали и ластились, как щенята. Солнце окропляло их ползучими веснушками, веснушками цвета ящерицы.

За единоборством моим с волнами старик следил молча сбоку. Увидев, что надежды нет и что плавать мне не научиться, — он включил меня в число постояльцев своего сердца. Оно было все тут с нами — его веселое сердце, никуда не заносилось, не жадничало и не тревожилось... С медными своими плечами, с головой состарившегося гладиатора, с бронзовыми, чуть кривыми ногами, — он лежал среди нас за волнорезом, как властелин этих арбузных, керосиновых вод. Я полюбил этого человека так, как только может полюбить атлета мальчик, хворающий истерией и головными болями. Я не отходил от него и пытался услуживать.

Он сказал мне:

— Ты не суетись... Ты укрепи свои нервы. Плаванье придет само собой... Как это так — вода тебя не держит... С чего бы ей не держать тебя?

Видя, как я тянусь, — Никитич для меня одного изо всех своих учеников сделал исключение, позвал к себе в гости на чистый просторный чердак в циновках, показал своих собак, ежа, черепаху и голубей. В обмен на эти богатства я принес ему написанную мною накануне трагедию.

— Я так и знал, что ты пописываешь, — сказал Никитич, — у тебя и взгляд такой... Ты все больше никуда не смотришь...

Он прочитал мои писания, подергал плечом, провел рукой по крутым седым завиткам, прошелся по чердаку.

— Надо думать, — произнес он врастяжку, замолкая после каждого слова, — что в тебе есть искра Божия...

Мы вышли на улицу. Старик остановился, с силой постучал палкой о тротуар и уставился на меня.

— Чего тебе не хватает?.. Молодость не беда, с годами пройдет... Тебе не хватает чувства природы.

Он показал мне палкой на дерево с красноватым стволом и низкой кроной.

— Это что за дерево?

Я не знал.

— Что растет на этом кусте?

Я и этого не знал. Мы шли с ним сквериком Александровского проспекта. Старик тыкал палкой во все деревья, он схватывал меня на плечо, когда пролетала птица, и заставлял слушать отдельные голоса.

— Какая это птица поет?

Я ничего не мог ответить. Названия деревьев и птиц, деление их на роды, куда летят птицы, с какой стороны восходит солнце, когда бывает сильнее роса — все это было мне неизвестно.

— И ты осмеливаешься писать?.. Человек, не живущий в природе, как живет в ней камень или животное, не напишет во всю свою жизнь двух стоящих строк... Твои пейзажи похожи на описание декораций. Черт меня побери, — о чем думали четырнадцать лет твои родители?..

О чем они думали?.. О протестованных векселях, об особняках Миши Эльмана... Я не сказал об этом Никитичу, я смолчал.

Дома — за обедом — я не прикоснулся к пище. Она не проходила в горло.

«Чувство природы, — думал я. — Бог мой, почему это не пришло мне в голову... Где взять человека, который растолковал бы мне птичьи голоса и названия деревьев?.. Что известно мне о них? Я мог бы распознать сирень, и то когда она цветет. Сирень и акацию. Дерибасовская и Греческая улицы обсажены акациями...»

За обедом отец рассказал новую историю о Яше Хейфеце. Не доходя до Робина, он встретил Мендельсона, Яшиного дядьку. Мальчик, оказывается, получает восемьсот рублей за выход. Посчитайте — сколько это выходит при пятнадцати концертах в месяц.

Я сосчитал — получилось двенадцать тысяч в месяц. Делая умножение и оставляя четыре в уме, я взглянул в окно. По цементному дворику, в тихонько отдуваемой крылатке, с рыжими колечками, выбивающимися из-под мягкой шляпы, опираясь на трость, шествовал господин Загурский, мой учитель музыки. Нельзя сказать, что он хватился слишком рано. Прошло уже больше трех месяцев с тех пор, как скрипка моя опустилась на песок у волнореза...

Загурский подходил к парадной двери. Я кинулся к черному ходу — его накануне заколотили от воров. Тогда я заперся в уборной. Через полчаса возле моей двери собралась вся семья. Женщины плакали. Бобка терлась жирным плечом о дверь и закатывалась в рыданиях. Отец молчал. Заговорил он так тихо и раздельно, как не говорил никогда в жизни.

— Я офицер, — сказал мой отец, — у меня есть имение. Я езжу на охоту. Мужики платят мне аренду. Моего сына я отдал в кадетский корпус. Мне нечего заботиться о моем сыне…

Он замолк. Женщины сопели. Потом страшный удар обрушился в дверь уборной, отец бился об нее всем телом, он налетал с разбегу.

— Я офицер, — вопил он, — я езжу на охоту… Я убью его… Конец…

Крючок соскочил с двери, там была еще задвижка, она держалась на одном гвозде. Женщины катались по полу, они хватали отца за ноги; обезумев, он вырывался. На шум подоспела старуха — мать отца.

— Дитя мое, — сказала она ему по-еврейски, — наше горе велико. Оно не имеет краев. Только крови недоставало в нашем доме. Я не хочу видеть кровь в нашем доме…

Отец застонал. Я услышал удалявшиеся его шаги. Задвижка висела на последнем гвозде.

В моей крепости я досидел до ночи. Когда все улеглись, тетя Бобка увела меня к бабушке. Дорога нам была дальняя. Лунный свет оцепенел на неведомых кустах, на деревьях без названия… Невидимая птица издала свист и угасла, может быть, заснула… Что это за птица? Как зовут ее? Бывает ли роса по вечерам?.. Где расположено созвездие Большой Медведицы? С какой стороны восходит солнце?..

Мы шли по Почтовой улице. Бобка крепко держала меня за руку, чтобы я не убежал. Она была права. Я думал о побеге.

В ПОДВАЛЕ

Я был лживый мальчик. Это происходило от чтения. Воображение мое всегда было воспламенено. Я читал во время уроков, на переменах, по дороге домой, ночью — под столом, закрывшись свисавшей до пола скатертью. За книгой я проморгал все дела мира сего — бегство с уроков в порт, начало бильярдной игры в кофейнях на Греческой улице, плаванье на Ланжероне. У меня не было товарищей. Кому была охота водиться с таким человеком?..

Однажды в руках первого нашего ученика, Марка Боргмана, я увидел книгу о Спинозе. Он только что прочитал ее и не утерпел, чтобы не сообщить окружившим его мальчикам об испанской инквизиции. Это было ученое бормотание — то, что он рассказывал. В словах Боргмана не было поэзии. Я не выдержал и вмешался. Тем, кто хотел меня слушать, я рассказал о старом Амстердаме, о сумраке гетто, о философах — гранильщиках алмазов. К прочитанному в книгах было прибавлено много своего. Без этого я не обходился. Воображение мое усиливало драматические сцены, переиначивало концы, таинственнее завязывало начала. Смерть Спинозы, свободная, одинокая его смерть, предстала в моем изображении битвой. Синедрион вынуждал умирающего покаяться, он не сломился. Сюда же я припутал Рубенса. Мне казалось, что Рубенс стоял у изголовья Спинозы и снимал маску с мертвеца.

Мои однокашники разинув рты слушали эту фантастическую повесть. Она была рассказана с воодушевлением. Мы нехотя разошлись по звонку. В следующую перемену Боргман подошел ко мне, взял меня под руку, мы стали прогуливаться вместе. Прошло немного времени — мы сговорились. Боргман не представлял из себя дурной разновидности первого ученика. Для сильных его мозгов гимназическая премудрость была каракулями на полях настоящей книги. Эту книгу он искал с жадностью. Двенадцатилетними несмышленышами мы знали уже, что ему предстоит ученая, необыкновенная жизнь. Он и уроков не готовил, только слушал их. Этот трезвый и сдержанный мальчик привязался ко мне из-за моей особенности перевирать все вещи в мире, такие вещи, проще которых и выдумать нельзя было.

В тот год мы перешли в третий класс. Ведомость моя была уставлена тройками с минусом. Я так был странен со своими бреднями, что учителя, подумав, не решились выставить мне двойки. В начале лета Боргман пригласил меня к себе на дачу. Его отец был директором Русского для внешней торговли банка. Этот человек был одним из тех, кто делал из Одессы Марсель или Неаполь. В нем жила закваска старого одесского негоцианта. Он принадлежал к обществу скептических и обходительных гуляк. Отец Боргмана избегал говорить по-русски; он объяснялся на грубоватом обрывистом языке ливерпульских капитанов. Когда в апреле к нам приехала итальянская опера, у Боргмана на квартире устраивался обед для труппы. Одутловатый банкир — последний из одесских негоциантов — завязывал двухмесячную интрижку с грудастой примадонной. Она увозила с собой воспоминания, не отягчавшие совести, и колье, выбранное со вкусом и стоившее не очень дорого.

Старик состоял аргентинским консулом и председателем биржевого комитета. К нему-то в дом я был приглашен. Моя тетка — по имени Бобка — разгласила об этом по всему двору. Она приодела меня, как могла. Я поехал на паровичке к шестнадцатой станции Большого фонтана. Дача стояла на невысоком красном обрыве у самого берега. На обрыве был разделан цветник с фуксиями и подстриженными шарами туи.

Я происходил из нищей и бестолковой семьи. Обстановка боргмановской дачи поразила меня. В аллеях, укрытые зеленью, белели плетеные кресла. Обеденный стол был покрыт цветами, окна обведены зелеными наличниками. Перед домом просторно стояла деревянная невысокая колоннада.

Вечером приехал директор банка. После обеда он поставил плетеное кресло у самого края обрыва, перед идущей равниной моря, задрал ноги в белых штанах, закурил сигару и стал читать «Manchester guardian». Гости, одесские дамы, играли на веранде в покер. В углу стола шумел узкий самовар с ручками из слоновой кости.

Картежницы и лакомки, неряшливые щеголихи и тайные распутницы с надушенным бельем и большими боками — женщины хлопали черными веерами и ставили золотые. Сквозь изгородь дикого винограда к ним проникало солнце. Огненный круг его был огромен. Отблески меди тяжелили черные волосы женщин. Искры заката входили в бриллианты — бриллианты, навешанные всюду: в углублениях разъехавшихся грудей, в подкрашенных ушах и на голубоватых припухлых самочьих пальцах.

Наступил вечер. Прошелестела летучая мышь. Море чернее накатывалось на красную скалу. Двенадцатилетнее мое сердце раздувалось от веселья и легкости чужого богатства. Мы с приятелем, взявшись за руки, ходили по дальней аллее. Боргман сказал мне, что он станет авиационным инженером. Есть слух о том, что отца назначат представителем Русского для внешней торговли банка в Лондон, — Марк сможет получить образование в Англии.

В нашем доме, доме тети Бобки, никто не толковал о таких вещах. Мне нечем было отплатить за непрерывное это великолепие. Тогда я сказал Марку, что хоть у нас в доме все по-другому, но дед Лейви-Ицхок и мой дядька объездили весь свет и испытали тысячи приключений. Я описал эти приключения по порядку. Сознание невозможного тотчас же оставило меня, я провел дядьку Вольфа сквозь русско-турецкую войну — в Александрию, в Египет...

Ночь выпрямилась в тополях, звезды налегли на погнувшиеся ветви. Я говорил и размахивал руками. Пальцы будущего авиационного инженера трепетали в моей руке. С трудом просыпаясь от галлюцинаций, он пообещал прийти ко мне в следующее воскресенье. Запасшись этим обещанием, я уехал на паровичке домой, к Бобке.

Всю неделю после этого визита я воображал себя директором банка. Я совершал миллионные операции с Сингапуром и Порт-Саидом. Я завел себе яхту и путешествовал на ней один. В субботу настало время проснуться. Назавтра должен был прийти в гости маленький Боргман. Ничего из того, что я рассказал ему, — не существовало. Существовало другое, много удивительнее, чем то, что я придумал, но двенадцати лет от роду я совсем еще не знал, как мне быть с правдой в этом мире. Дед Лейви-Ицхок, раввин, выгнанный из своего местечка за то, что он подделал на векселях подпись графа Браницкого, был на взгляд наших соседей и окрестных мальчишек сумасшедший. Дядьку Симон-Вольфа я не терпел за шумное его чудачество, полное бессмысленного огня, крику и притеснения. Только с Бобкой можно было сговориться. Бобка гордилась тем, что сын директора банка дружит со мной. Она считала это знакомство началом карьеры и испекла для гостя штрудель с вареньем и маковый пирог. Все сердце нашего племени, сердце, так хорошо выдерживающее борьбу, заключалось в этих пирогах. Деда с его рваным цилиндром и тряпьем на распухших ногах мы упрятали к соседям Апельхотам, и я умолял его не показываться до тех пор, пока гость не уйдет. С Симон-Вольфом тоже уладилось. Он ушел со своими приятелями-барышниками пить чай в трактир «Медведь». В этом трактире прихватывали водку вместе с чаем, можно было рассчитывать, что Симон-Вольф задержится. Тут надо сказать, что семья, из которой я происхожу, не походила на другие еврейские семьи. У нас и пьяницы были в роду, у нас соблазняли генеральских дочерей и, не довезши до границы, бросали, у нас дед подделывал подписи и сочинял для брошенных жен шантажные письма.

Все старания я положил на то, чтобы отвадить Симон-Вольфа на весь день. Я отдал ему сбереженные три рубля. Прожить три рубля — это нескоро делается, Симон-Вольф вернется поздно, и сын директора банка никогда не узнает о том, что рассказ о доброте и силе моего дядьки — лживый рассказ. По совести говоря, если сообразить сердцем, это была правда, а не ложь, но при первом взгляде на грязного и крикливого Симон-Вольфа непонятной этой истины нельзя было разобрать.

В воскресенье утром Бобка вырядилась в коричневое суконное платье. Толстая ее, добрая грудь лежала во все стороны. Она надела косынку с черными тиснеными цветами, косынку, которую одевают в синагогу на Судный день и на Рош-Гашоно. Бобка расставила на столе пироги, варенье, крендели и принялась ждать. Мы жили в подвале. Боргман поднял брови, когда проходил по горбатому полу коридора. В сенях стояла кадка с водой. Не успел Боргман войти, как я стал занимать его всякими диковинами. Я показал ему будильник, сделанный до последнего винтика руками деда. К часам была приделана лампа; когда будильник отсчитывал половинку или полный час, лампа зажигалась. Я показал еще бочонок с ваксой. Рецепт этой ваксы составлял изобретение Лейви-Ицхока: он никому этого секрета не выдавал. Потом мы прочитали с Боргманом несколько страниц из рукописи деда. Он писал по-еврейски, на желтых квадратных листах, громадных, как географические карты. Рукопись называлась «Человек без головы». В ней описывались все соседи Лейви-Ицхока за семьдесят лет его жизни — сначала в Сквире и Белой Церкви, потом в Одессе. Гробовщики, канторы, еврейские пьяницы, поварихи на брисах и проходимцы, производившие ритуальную операцию, — вот герои Лейви-Ицхока. Все это были вздорные люди, косноязычные, с шишковатыми носами, прыщами на макушке и косыми задами.

Во время чтения появилась Бобка в коричневом платье. Она плыла с самоваром на подносе, обложенная своей толстой, доброй грудью. Я познакомил их. Бобка сказала: «Очень приятно», — протянула вспотевшие, неподвижные пальцы и шаркнула обеими ногами. Все шло хорошо, как нельзя лучше. Апельхоты не выпускали деда. Я выволакивал его сокровища одно за другим: грамматики на всех языках и шестьдесят шесть томов Талмуда. Марка ослепил бочонок с ваксой, мудреный будильник и гора Талмуда, все эти вещи, которых нельзя увидеть ни в каком другом доме.

Мы выпили по два стакана чаю со штруделем, — Бобка, кивая головой и пятясь назад, исчезла. Я пришел в радостное состояние духа, стал в позу и начал декламировать строфы, больше которых я ничего не любил в жизни. Антоний, склонясь над трупом Цезаря, обращается к римскому народу:

О римляне, сограждане, друзья,
Меня своим вниманьем удостойте.
Не восхвалять я Цезаря пришел,
Но лишь ему последний долг отдать.

Так начинает игру Антоний. Я задохся и прижал руки к груди.

Мне Цезарь другом был, и верным другом,
Но Брут его зовет властолюбивым,
А Брут — достопочтенный человек…
Он пленных приводил толпáми в Рим,
Их выкупом казну обогащая.
Не это ли считать за властолюбье?..
При виде нищеты он слезы лил,—
Так мягко властолюбье не бывает.
Но Брут его зовет властолюбивым,
А Брут — достопочтенный человек…
Вы видели во время Луперкалий,
Я трижды подносил ему венец,
И трижды от него он отказался.
Ужель и это властолюбье?..

Но Брут его зовет властолюбивым,
А Брут — достопочтенный человек…

Перед моими глазами — в дыму вселенной — висело лицо Брута. Оно стало белее мела. Римский народ, ворча, надвигался на меня. Я поднял руку, — глаза Боргмана покорно двинулись за ней, — сжатый мой кулак дрожал, я поднял руку… и увидел в окне дядьку Симон-Вольфа, шедшего по двору в сопровождении маклака Лейкаха. Они тащили на себе вешалку, сделанную из оленьих рогов, и красный сундук с подвесками в виде львиных пастей. Бобка тоже увидела их из окна. Забыв про гостя, она влетела в комнату и схватила меня трясущимися ручками.

— Серденько мое, он опять купил мебель…

Боргман привстал в своем мундирчике и в недоумении поклонился Бобке. В дверь ломились. В коридоре раздался грохот сапог, шум передвигаемого сундука. Голоса Симон-Вольфа и рыжего Лейкаха гремели оглушительно. Оба были навеселе.

— Бобка, — закричал Симон-Вольф, — попробуй угадать, сколько я отдал за эти рога?!

Он орал, как труба, но в голосе его была неуверенность. Хоть и пьяный, Симон-Вольф знал, как ненавидим мы рыжего Лейкаха, подбивавшего его на все покупки, затоплявшего нас ненужной, бессмысленной мебелью.

Бобка молчала. Лейках пропищал что-то Симон-Вольфу. Чтобы заглушить змеиное его шипение, чтобы заглушить мою тревогу, я закричал словами Антония:

Еще вчера повелевал вселенной
Могучий Цезарь; он теперь во прахе,
И всякий нищий им пренебрегает,
Когда б хотел я возбудить к восстанью,
К отмщению сердцá и души ваши,
Я повредил бы Кассию и Бруту,
Но ведь они почтеннейшие люди…

На этом месте раздался стук. Это упала Бобка, сбитая с ног ударом мужа. Она, верно, сделала горькое какое-нибудь замечание об оленьих рогах. Началось ежедневное представление. Медный голос Симон-Вольфа законопачивал все щели вселенной.

— Вы тянете из меня клей, — громовым голосом кричал мой дядька, — вы клей тянете из меня, чтобы запихать собачьи ваши рты... Работа отбила у меня душу. У меня нечем работать, у меня нет рук, у меня нет ног... Камень вы одели на мою шею, камень висит на моей шее...

Проклиная меня и Бобку еврейскими проклятиями, он сулил нам, что глаза наши вытекут, что дети наши еще во чреве матери начнут гнить и распадаться, что мы не будем поспевать хоронить друг друга и что нас за волосы стащат в братскую могилу.

Маленький Боргман поднялся со своего места. Он был бледен и озирался. Ему непонятны были обороты еврейского кощунства, но с русской матерщиной он был знаком. Симон-Вольф не гнушался и ею. Сын директора банка мял в руке картузик. Он двоился у меня в глазах, я силился перекричать все зло мира. Предсмертное мое отчаяние и свершившаяся уже смерть Цезаря слились в одно. Я был мертв, и я кричал. Хрипение поднималось со дна моего существа.

Коль слезы есть у вас, обильным током
Они теперь из ваших глаз польются.
Всем этот плащ знаком. Я помню даже,
Где в первый раз его накинул Цезарь:
То было летним вечером, в палатке,
Где находился он, разбив неврийцев.
Сюда проник нож Кассия; вот рана
Завистливого Каски; здесь в него
Вонзил кинжал его любимец Брут.
Как хлынула потоком алым кровь,
Когда кинжал из раны он извлек...

Ничто не в силах было заглушить Симон-Вольфа. Бобка, сидя на полу, всхлипывала и сморкалась. Невозмутимый Лейках двигал за перегородкой сундук. Тут мой сумасбродный дед захотел прийти мне на помощь. Он вырвался от Апельхотов, подполз к окну и стал пилить на скрипке, для того, верно, чтобы посторонним людям не слышна была брань Симон-Вольфа. Боргман взглянул в окно, вырезанное на уровне земли, и в ужасе подался назад. Мой бедный дед гримасничал своим синим окостеневшим ртом. На нем был загнутый цилиндр, черная ваточная хламида с костяными пуговицами и опорки на слоновых ногах. Прокуренная борода висела клочьями и колебалась в окне. Марк бежал.

— Это ничего, — пробормотал он, вырываясь на волю, — это, право, ничего…

Во дворе мелькнули его мундирчик и картуз с поднятыми краями.

С уходом Марка улеглось мое волнение. Я ждал вечера. Когда дед, исписав еврейскими крючками квадратный свой лист (он описывал Апельхотов, у которых, по моей милости, провел весь день), улегся на койку и заснул, я выбрался в коридор. Пол там был земляной. Я двигался во тьме, босой, в длинной и заплатанной рубахе. Сквозь щели досок остриями света мерцали булыжники. В углу, как всегда, стояла кадка с водой. Я опустился в нее. Вода разрезала меня надвое. Я погрузил голову, задохся, вынырнул. Сверху, с полки, сонно смотрела кошка. Во второй раз я выдержал дольше, вода хлюпала вокруг меня, мой стон уходил в нее. Я открыл глаза и увидел на дне бочки парус рубахи и ноги, прижатые друг к дружке. У меня снова не хватило сил, я вынырнул. Возле бочки стоял дед в кофте. Единственный его зуб звенел.

— Мой внук, — он выговорил эти слова презрительно и внятно, — я иду принять касторку, чтобы мне было что принесть на твою могилу…

Я закричал, не помня себя, и опустился в воду с размаху. Меня вытащила немощная рука деда. Тогда впервые за этот день я заплакал, — и мир слез был так огромен и прекрасен, что все, кроме слез, ушло из моих глаз.

Я очнулся на постели, закутанный в одеяла. Дед ходил по комнате и свистел. Толстая Бобка грела мои руки на груди.

— Как он дрожит, наш дурачок, — сказала Бобка, — и где дитя находит силы так дрожать…

Дед дернул бороду, свистнул и зашагал снова. За стеной с мучительным выдохом храпел Симон-Вольф. Навоевавшись за день, он ночью никогда не просыпался.

ДИ ГРАССО

Мне было четырнадцать лет. Я принадлежал к неустрашимому корпусу театральных барышников. Мой хозяин был жулик с всегда прищуренным глазом и шелковыми громадными усами. Звали его Коля Шварц. Я угодил к нему в тот несчастный год, когда в Одессе прогорела итальянская опера. Послушавшись рецензентов из газеты, импресарио не выписал на гастроли Ансельми и Тито Руффо и решил ограничиться хорошим ансамблем. Он был наказан за это, он прогорел, а с ним и мы. Для поправки дел нам пообещали Шаляпина, но Шаляпин запросил три тысячи за выход. Вместо него приехал сицилианский трагик ди Грассо с труппой. Их привезли в гостиницу на телегах, набитых детьми, кошками, клетками, в которых прыгали итальянские птицы. Осмотрев этот табор, Коля Шварц сказал:

— Дети, это не товар…

Трагик после приезда отправился с кошелкой на базар. Вечером — с другой кошелкой — он явился в театр. На первый спектакль собралось едва ли пятьдесят человек. Мы уступали билеты за полцены, охотников не находилось.

Играли в тот вечер сицилианскую народную драму, историю обыкновенную, как смена дня и ночи. Дочь богатого крестьянина обручилась с пастухом. Она была верна ему до тех пор, пока из города не приехал барчук в бархатном жилете. Разговаривая с приезжим, девушка невпопад хихикала и невпопад замолкала. Слушая их, пастух ворочал головой, как потревоженная птица. Весь первый акт он прижимался к стенам, куда-то уходил в развевающихся штанах и, возвращаясь, озирался.

— Мертвое дело, — сказал в антракте Коля Шварц, — это товар для Кременчуга…

Антракт был сделан для того, чтобы дать девушке время созреть для измены. Мы не узнали ее во втором действии — она была нетерпима, рассеянна и, торопясь, отдала пастуху обручальное кольцо. Тогда он подвел ее к нищей и раскрашенной статуе святой девы и на сицилианском своем наречии сказал:

— Синьора, — сказал он низким своим голосом и отвернулся, — Святая Дева хочет, чтобы вы выслушали меня… Джованни, приехавшему из города, Святая Дева даст столько женщин, сколько он захочет; мне же никто не нужен, кроме вас, синьора… Дева Мария, непорочная наша покровительница, скажет вам то же самое, если вы спросите Ее, синьора…

Девушка стояла спиной к раскрашенной деревянной статуе. Слушая пастуха, она нетерпеливо топала ногой. На этой земле — о, горе нам! — нет женщины, которая не была бы безумна в те мгновенья, когда решается ее судьба... Она остается одна в эти мгновения, одна, без Девы Марии, и ни о чем не спрашивает у нее...

В третьем действии приехавший из города Джованни встретился со своей судьбой. Он брился у деревенского цирюльника, разбросав на авансцене сильные мужские ноги; под солнцем Сицилии сияли складки его жилета. Сцена представляла из себя ярмарку в деревне. В дальнем углу стоял пастух. Он стоял молча, среди беспечной толпы. Голова его была опущена, потом он поднял ее, и под тяжестью загоревшегося, внимательного его взгляда Джованни задвигался, стал ерзать в кресле и, оттолкнув цирюльника, вскочил. Срывающимся голосом он потребовал от полицейского, чтобы тот удалил с площади сумрачных подозрительных людей. Пастух — играл его ди Грассо — стоял задумавшись, потом он улыбнулся, поднялся в воздух, перелетел сцену городского театра, опустился на плечи Джованни и, перекусив ему горло, ворча и косясь, стал высасывать из раны кровь. Джованни рухнул, и занавес, — грозно, бесшумно сдвигаясь, — скрыл от нас убитого и убийцу. Ничего больше не ожидая, мы бросились в Театральный переулок к кассе, которая должна была открыться на следующий день. Впереди всех несся Коля Шварц. На рассвете «Одесские новости» сообщили тем немногим, кто был в театре, что они видели самого удивительного актера столетия.

Ди Грассо в этот свой приезд сыграл у нас «Короля Лира», «Отелло», «Гражданскую смерть», тургеневского «Нахлебника», каждым словом и движением своим утверждая, что в исступлении благородной страсти больше справедливости и надежды, чем в безрадостных правилах мира.

На эти спектакли билеты шли в пять раз выше своей стоимости. Охотясь за барышниками, покупатели находили их в трактире — горланящих, багровых, извергающих безвредное кощунство.

Струя пыльного розового зноя была впущена в Театральный переулок. Лавочники в войлочных шлепанцах вынесли на улицу зеленые бутыли вина и бочонки с маслинами. В чанах, перед лавками, кипели в пенистой воде макароны, и пар от них таял в далеких небесах. Старухи в мужских штиблетах продавали ракушки и сувениры и с громким криком догоняли колеблющихся покупателей. Богатые евреи с раздвоенными, расчесанными бородами подъезжали в экипажах к Северной гостинице и тихонько стучались в комнаты черноволосых толстух с усиками — актрис из труппы ди Грассо. Все были счастливы в Театральном переулке, кроме одного человека, и этот человек был я. Ко мне в эти дни приближалась гибель. С минуты на минуту отец мог хватиться часов, взятых у него без позволения и заложенных у Коли Шварца. Успев привыкнуть к золотым часам и будучи человеком, пившим по утрам вместо чая бессарабское вино, Коля, получив обратно свои деньги, не мог, однако, решиться вернуть мне часы. Таков был его характер. От него ничем не отличался характер моего отца. Стиснутый этими людьми, я смотрел, как проносятся мимо меня обручи чужого счастья. Мне не оставалось ничего другого, как бежать в Константинополь. Все уже было сговорено со вторым механиком парохода «Duke of Kent»[1], но, перед тем как выйти в море, я решил проститься с ди Грассо. Он в последний раз играл пастуха, которого отделяет от земли непонятная сила. В театр пришли итальянская колония во главе с лысым и стройным консулом, поеживающиеся греки, бородатые экстерны, фанатически уставившиеся в никому не видимую точку, и длиннорукий Уточкин. И даже Коля Шварц привел с собой жену в фиолетовой шали с бахромой, женщину, годную в гренадеры и длинную, как степь, с мятым, сонливым личиком на краю. Оно было омочено слезами, когда опустился занавес.

— Босяк, — выходя из театра, сказала она Коле, — теперь ты видишь, что такое любовь...

Тяжело ступая, мадам Шварц шла по Ланжероновской улице; из рыбьих глаз ее текли слезы, на толстых плечах содрогалась шаль с бахромой. Шаркая мужскими ступнями, тряся головой, она оглушитель-

---

[1] «Граф Кентский» (*англ.*).

но, на всю улицу, высчитывала женщин, которые хорошо живут со своими мужьями.

— Циленька, — называют эти мужья своих жен, — золотко, деточка…

Присмиревший Коля шел рядом с женой и тихонько раздувал шелковые усы. По привычке я шел за ними и всхлипывал. Затихнув на мгновенье, мадам Шварц услышала мой плач и обернулась.

— Босяк, — вытаращив рыбьи глаза, сказала она мужу, — пусть я не доживу до хорошего часа, если ты не отдашь мальчику часы…

Коля застыл, раскрыл рот, потом опомнился и, больно ущипнув меня, боком сунул часы.

— Что я имею от него, — безутешно причитал, удаляясь, грубый плачущий голос мадам Шварц, — сегодня животные штуки, завтра животные штуки… Я тебя спрашиваю, босяк, сколько может ждать женщина?..

Они дошли до угла и повернули на Пушкинскую. Сжимая часы, я остался один и вдруг, с такой ясностью, какой никогда не испытывал до тех пор, увидел уходившие ввысь колонны Думы, освещенную листву на бульваре, бронзовую голову Пушкина с неярким отблеском луны на ней, увидел в первый раз окружавшее меня таким, каким оно было на самом деле, — затихшим и невыразимо прекрасным.

ВДОХНОВЕНИЕ

Мне хотелось спать, и я был зол. В это время пришел Мишка читать свою повесть. «Запри дверь», — сказал он и вытащил из кармана бутылку вина.

«Сегодня мой вечер. Окончил повесть. Мне кажется — это настоящее. Выпьем, друг».

Лицо у Мишки было бледное и потное.

«Дураки те, кто говорят, что нет счастья на земле, — сказал он. — Счастье — это вдохновение. Я писал вчера всю ночь и не заметил, как рассвело. Потом гулял по городу. Рано утром город удивителен: роса, тишина и совсем мало людей. Все прозрачно, и движется день — холодно-голубой, призрачный и нежный. Выпьем, друг. Я неошибочно чувствую — эта повесть „перелом в моей жизни“». Мишка налил себе вина и выпил. Пальцы его вздрагивали. У него была удивительной красоты рука — тонкая, белая, гладкая, с утончающимися в конце пальцами.

«Понимаешь — эту повесть надо пристроить, — продолжал он. — Везде примут. Теперь гадость печатают. Главное — протекция. Мне обещали. Сухотин все сделает...»

«Мишка, — сказал я, — ты бы просмотрел свою повесть, она у тебя совсем без помарок...»

«Пустяки, потом... Дома, понимаешь, смеются. Rira bien, qui rira le dernier [1]. Я, понимаешь, молчу. Через год увидим. Ко мне придут»... Бутылка подходила к концу.

«Брось пить, Мишка...»

«Возбудиться нужно, — ответил он, — вот за вчерашнюю ночь я 40 папирос выкурил...» Он вынул тетрадь. Она была очень толстая, очень. Я подумал — не попросить ли оставить мне ее. Но потом посмотрел на его бледный лоб, на котором вспухла жила, на криво и жалко болтавшийся галстучек и сказал:

«Ну, Лев Николаевич, автобиографию писать будешь — не забудь...»

Мишка улыбнулся.

«Мерзавец, — ответил он, — ты совсем не ценишь моего знакомства».

Я удобно уселся. Мишка склонился над тетрадью. В комнате были тишина и сумрак.

«В этой повести, — сказал Мишка, — я хотел дать новое произведение, окутанное дымкой мечты, нежность, полутени и намек... Мне противна, противна грубость нашей жизни...»

«Довольно предисловий, — ответил я, — читай...» Он начал. Я слушал внимательно. Это было нелегко. Повесть была бездарна и скучна. Конторщик влюбился в балерину и шатался под ее окнами. Она уехала. Конторщику стало больно, потому что его мечта любви была обманута.

Скоро я бросил слушать. Слова в этой повести были скучные, старые, гладкие, как обтесанные деревяшки. Ничего не было видно — каков человек конторщик, какова она.

---

[1] Смеется тот, кто смеется последним (*фр.*).

Я посмотрел на Мишку. Глаза его разгорались. Пальцы комкали потухавшие папиросы. Лицо его — тупое и узкое, тягостно обрубленное ненужным мастером, толстый, торчащий и желтый нос, бледно-розовые, вспухшие губы, все светлело, медлительно, с неотвратимо внедрявшейся силой исполнялось творческого и радостно-уверенного восторга.

Он читал томительно долго, а когда кончил, неуклюже спрятал тетрадь и посмотрел на меня…

«Видишь ли, Мишка, — медленно сказал я, — видишь ли, об этом надо подумать… Идея у тебя очень оригинальная, есть нежность… Но, видишь ли, разработка… Надо, понимаешь, разгладить…»

«Я вынашивал эту вещь три года, — ответил Мишка, — конечно, есть шероховатости, но главное?..»

Он что-то понял. У него дрогнула губа. Он сгорбился и ужасно долго закуривал папиросу.

«Мишка, — тогда сказал я, — ты написал прекрасную вещь. У тебя мало еще техники, но ca viendra[1]. Черт побери, много же у тебя в голове помещается…»

Мишка обернулся, посмотрел на меня, и глаза его были как у ребенка — ласковые, сияющие и счастливые.

«Выйдем на улицу, — сказал он, — выйдем, мне душно…»

Улицы были темны и тихи.

Мишка крепко сжимал мою руку и говорил:

«Я неошибочно чувствую — у меня талант. Отец хочет, чтобы я искал себе службу. Я молчу. Осенью — в Петроград. Сухотин все сделает». Он замолчал, зажег одну папиросу об другую и заговорил тише: «Иногда я чувствую вдохновение, от которого мне мучительно. Тогда я знаю, что то, что делаю — я делаю, как нужно. Я дурно сплю, всегда кошмары и тоска. Мне нужно три часа проваляться, чтоб заснуть. По утрам голова болит, тупо, ужасно. Я могу писать только ночью, когда одиночество, когда тишина, когда душа горит. Достоевский всегда ночью писал и выпивал за это время самовар, а у меня папиросы… Знаешь, дым стоит под потолком…»

---

[1] Это придет (*фр.*).

Мы подошли к Мишкиному дому. Лицо его осветил фонарь. Порывистое, худое, желтое, счастливое лицо.

«Мы еще повоюем, черт возьми, — сказал он и сильнее сжал мою руку. — В Петрограде все выбиваются».

«Все-таки, Мишка, — сказал я, — работать надо...»

«Сашка, друг, — ответил он. И крепко, покровительственно усмехнулся. — Я хитер, что знаю — то знаю, не беспокойся, не почию на лаврах. Приходи завтра. Посмотрим еще разок».

«Ладно, — проговорил я, — приду».

Мы расстались. Я пошел домой. Мне было очень грустно.

МОЙ ПЕРВЫЙ ГОНОРАР

Жить весной в Тифлисе, иметь двадцать лет от роду и не быть любимым — это беда. Такая беда приключилась со мной. Я служил корректором в типографии Кавказского военного округа. Под окнами моей мансарды клокотала Кура. Солнце, восходившее за горами, зажигало по утрам мутные ее узлы. Мансарду я снимал у молодоженов-грузин. Хозяин мой торговал на восточном базаре мясом. За стеной, осатанев от любви, мясник и его жена ворочались как большие рыбы, запертые в банку. Хвосты обеспамятевших этих рыб бились о перегородку. Они трясли наш чердак, почернелый под отвесным солнцем, срывали его со столбов и несли в бесконечность. Зубы их, сведенные упрямой злобой страсти, не могли разжаться. По утрам новобрачная Милиет спускалась за лавашом. Она так была слаба, что держалась за перила, чтобы не упасть. Ища тонкой ногой ступеньку, Милиет улыбалась неясно и слепо, как выздоравливающая. Прижав ладони к маленькой груди, она кланялась всем, кто ей встречался на пути, — зазеленевшему от старости айсору, разносчику керосина и мегерам, продававшим мотки бараньей шерсти, мегерам, изрезанным жгучими морщинами. По ночам толкотня и лепет моих соседей сменялись молчанием, пронзительным, как свист ядра.

Иметь двадцать лет от роду, жить в Тифлисе и слушать по ночам бури чужого молчания — это беда. Спасаясь от нее, я кидался опрометью вон из дому, вниз к Куре, там настигали меня банные пары тифлисской весны. Они накидывались с размаху и обессиливали. С пересохшим горлом я кружил по горбатым мостовым. Туман весенней духоты загонял меня снова на чердак, в лес почернелых пней, озаренных луной. Мне ничего не оставалось, кроме как искать любви. Конечно, я нашел ее. На беду или на счастье, женщина, выбранная мною, оказалась проституткой. Ее звали Вера. Каждый вечер я крался за нею по Головинскому проспекту, не решаясь заговорить. Денег для нее у меня не было, да и слов — неутомимых этих пошлых и роющих слов любви — тоже не было. Смолоду все силы моего существа были отданы на сочинение повестей, пьес, тысячи историй. Они лежали у меня на сердце, как жаба на камне. Одержимый бесовской гордостью, я не хотел писать их до времени. Мне казалось пустым занятием — сочинять хуже, чем это делал Лев Толстой. Мои истории предназначались для того, чтобы пережить забвение. Бесстрашная мысль, изнурительная страсть стоят труда, потраченного на них, только тогда, когда они облачены в прекрасные одежды. Как сшить эти одежды?..

Человеку, взятому на аркан мыслью, присмиревшему под змеиным ее взглядом, трудно изойти пеной незначащих и роющих слов любви. Человек этот стыдится плакать от горя. У него недостает ума, чтобы смеяться от счастья. Мечтатель — я не овладел бессмысленным искусством счастья. Мне пришлось поэтому отдать Вере десять рублей из скудных моих заработков.

Решившись, я стал однажды вечером на страже у дверей духана «Симпатия». Мимо меня небрежным парадом двигались князья в синих черкесках и мягких сапогах. Ковыряя в зубах серебряными зубочистками, они рассматривали женщин, крашенных кармином, грузинок с большими ступнями и узкими бедрами. В сумерках просвечивала бирюза. Распустившиеся акации завывали вдоль улиц низким, осыпающимся голосом. Толпа чиновников в белых кителях колыхалась по проспекту; ей навстречу летели с Казбека бальзамические струи.

Вера пришла позже, когда стемнело. Рослая, белолицая — она плыла впереди обезьяньей толпы, как плывет богородица на носу рыбачьего баркаса. Она поравнялась с дверьми духана «Симпатия». Я качнулся, двинулся.

— В какие Палестины?

Широкая розовая спина двигалась передо мною. Вера обернулась.

— Вы что там лепечете?..

Она нахмурилась, глаза ее смеялись.

— Куда Бог несет?..

Во рту моем слова раскалывались, как высохшие поленья. Переменив ногу, Вера пошла со мною рядом.

— Десятка — вам не обидно будет?..

Я согласился так быстро, что это возбудило ее подозрения.

— Да есть ли они у тебя, десять рублей?..

Мы вошли в подворотню, я подают ей мой кошелек. Она насчитала в нем двадцать один рубль, серые глаза ее щурились, губы шевелились. Золотые монеты она положила к золотым, серебряные к серебряным.

— Десятку мне, — отдавая кошелек, сказала Вера, — пять рублей прогуляем, на остальные живи. У тебя когда получка?..

Я ответил, что получка через четыре дня. Мы вышли из подворотни. Вера взяла меня под руку и прижалась плечом. Мы пошли вверх по остывающей улице. Тротуар был засыпан ковром увядших овощей.

— В Боржом бы от этакой жары…

Бант охватывал Верины волосы. В нем лились и гнулись молнии от фонарей.

— Ну и дуй в Боржом…

Это я сказал — «дуй». Для чего-то оно было мною произнесено — это слово.

— Пети-мети нет, — ответила Вера, зевнула и забыла обо мне. Она забыла обо мне потому, что день ее был сделан и заработок со мной был легок. Она поняла, что я не подведу ее под полицию и не заберу ночью денег вместе с серьгами.

Мы дошли до подножия горы святого Давида. Там, в харчевне, я заказал люля-кебаб. Не дожидаясь пищи, Вера пересела к группе старых персов, обсуждавших свои дела. Опершись на стоящие палки, кивая оливковыми головами, они убеждали кабатчика в том, что для него пришла пора расширить торговлю. Вера вмешалась в их разговор. Она стала на сторону стариков. Она стояла за то, чтобы перевести харчевню на Михайловский проспект. Кабатчик, ослепший от рыхлости и осторожности, сопел. Я один ел мой люля-кебаб. Обнаженные Верины руки текли из шелка рукавов, она пристукивала по столу кулаком, серьги ее летали между длинных выцветших спин, оранжевых бород и крашеных ногтей. Люля-кебаб остыл, когда она вернулась к столику. Лицо ее горело от волнения.

— Вот не сдвинешь его с места, ишака этого… На Михайловском с восточной кухней, знаешь, какие дела можно поднять…

Мимо столика, один за другим, проходили знакомые Веры — князья в черкесках, немолодые офицеры, лавочники в чесучовых пиджаках и пузатые старики с загорелыми лицами и зелеными угрями на щеках. Только в двенадцатом часу ночи попали мы в гостиницу, но и там у Веры нашлись нескончаемые дела. Какая-то старушка снаряжалась в путь к сыну в Армавир. Оставив меня, Вера побежала к отъезжающей и стала тискать коленями ее чемодан, увязывать ремнями подушки, заворачивать пирожки в масленую бумагу. Плечистая старушка в газовой шляпёнке, с рыжей сумкой на боку, ходила по номерам прощаться. Она шаркала по коридору резиновыми ботиками, всхлипывала и улыбалась всеми морщинами. Час — не меньше — ушел на проводы. Я ждал Веру в прелом номере, заставленном трехногими креслами, глиняной печью, сырыми углами в разводах.

Меня мучили и таскали по городу так долго, что самая любовь моя показалась мне врагом, прилипчивым врагом…

В коридоре шаркала и разражалась внезапным хохотом чужая жизнь. В пузырьке, наполненном молочной жидкостью, умирали мухи. Каждая умирала по-своему. Агония одной была длительна, предсмертные содрогания порывисты; другая умирала, трепеща чуть заметно. Рядом с пузырьком на потертой скатерти валялась книга, роман из боярской жизни Головина. Я раскрыл ее наугад. Буквы построились в ряд и смешались. Предо мною, в квадрате окна, уходил каменистый подъем, кривая турецкая уличка. В комнату вошла Вера.

— Проводили Федосью Маврикиевну, — сказала она. — Поверишь, она нам всем как родная была... Старушка одна едет, ни попутчика, никого...

Вера села на кровать, расставив колени. Глаза ее блуждали в чистых областях забот и дружбы. Потом она увидела меня, в двубортной куртке. Женщина сцепила руки и потянулась.

— Заждался небось... Ничего, сейчас сделаемся...

Но что собиралась Вера делать — я так и не понял. Приготовления ее были похожи на приготовления доктора к операции. Она зажгла керосинку и поставила на нее кастрюлю с водой. Она положила чистое полотенце на спинку кровати и повесила кружку от клизмы над головой, кружку с белой кишкой, болтающейся по стене. Когда вода согрелась, Вера перелила ее в клизму, бросила в кружку красный кристалл и стала через голову стягивать с себя платье. Большая женщина с опавшими плечами и мятым животом стояла передо мной. Расплывшиеся соски слепо уставились в стороны.

— Пока вода доспеет, — сказала моя возлюбленная, — подь-ка сюда, попрыгунчик...

Я не двинулся с места. Во мне оцепенело отчаяние. Зачем променял я одиночество на это логово, полное нищей тоски, на умирающих мух и трехногую мебель...

О боги моей юности!.. Как не похожа была будничная эта стряпня на любовь моих хозяев за стеной, на протяжный, закатывающийся их визг...

Вера подложила ладони под груди и покачала их.

— Что сидишь невесел, голову повесил?.. Поди сюда...

Я не двинулся с места. Вера подняла рубаху к животу и снова села на кровать.

— Или денег пожалел?

— Моих денег не жалко...

Я сказал это рвущимся голосом.

— Почему так — не жалко?.. Или ты вор?..

— Я не вор.

— Нинкуешь у воров?..

— Я мальчик.

— Я вижу, что не корова, — пробормотала Вера. Глаза ее слипались. Она легла и, притянув меня к себе, стала шарить по моему телу.

— Мальчик, — закричал я, — ты понимаешь, мальчик у армян…

О боги моей юности!.. Из двадцати прожитых лет — пять ушло на придумывание повестей, тысячи повестей, сосавших мозг. Они лежали у меня на сердце, как жаба на камне. Сдвинутая силой одиночества, одна из них упала на землю. Видно, на роду мне было написано, чтобы тифлисская проститутка сделалась первой моей читательницей. Я похолодел от внезапности моей выдумки и рассказал ей историю о мальчике у армян. Если бы я меньше и ленивей думал о своем ремесле, — я заплел бы пошлую историю о выгнанном из дому сыне богатого чиновника, об отце-деспоте и матери-мученице. Я не сделал этой ошибки. Хорошо придуманной истории незачем походить на действительную жизнь; жизнь изо всех сил старается походить на хорошо придуманную историю. Поэтому и еще потому, что так нужно было моей слушательнице, — я родился в местечке Алешки, Херсонской губернии. Отец работал чертежником в конторе речного пароходства. Он дни и ночи бился над чертежами, чтобы дать нам, детям, образование, но мы пошли в мать, лакомку и хохотунью. Десяти лет я стал воровать у отца деньги, подросши, убежал в Баку, к родственникам матери. Они познакомили меня с армянином Степаном Ивановичем. Я сошелся с ним, и мы прожили вместе четыре года…

— Да лет-то тебе сколько было тогда?..

— Пятнадцать…

Вера ждала злодейств от армянина, развратившего меня. Тогда я сказал:

— Мы прожили четыре года. Степан Иванович оказался самым доверчивым и щедрым человеком из всех людей, каких я знал, самым совестливым и благородным. Всем приятелям он верил на слово. Мне бы за эти четыре года изучить ремесло — я не ударил пальцем о палец… У меня другое было на уме — бильярд… Приятели разорили Степана Ивановича.

Он выдал им бронзовые векселя, друзья представили их ко взысканию…

Бронзовые векселя… Сам не знаю, как взбрели они мне на ум. Но я сделал правильно, упомянув о них. Вера поверила всему, услышав о бронзовых векселях. Она закуталась в шаль, шаль заколебалась на ее плечах.

…Степан Иванович разорился. Его выгнали из квартиры, мебель продали с торгов. Он поступил приказчиком на выезд. Я не стал жить с ним, с нищим, и перешел к богатому старику, церковному старосте…

Церковный староста — это было украдено у какого-то писателя, выдумка ленивого сердца, не захотевшего потрудиться над рождением живого человека.

Церковный староста — сказал я, и глаза Веры мигнули, ушли из-под моей власти. Тогда, чтобы поправиться, я вдвинул астму в желтую грудь старика, припадки астмы, сиплый свист удушья в желтой груди. Старик вскакивал по ночам с постели и дышал со стоном в бакинскую керосиновую ночь. Он скоро умер. Астма удавила его. Родственники прогнали меня. И вот — я в Тифлисе, с двадцатью рублями в кармане, с теми самыми, которые Вера пересчитала в подворотне на Головинском. Номерной гостиницы, в которой я остановился, обещал мне богатых гостей, но пока он приводит только духанщиков с вываливающимися животами… Эти люди любят свою страну, свои песни, свое вино и топчут чужие души и чужих женщин, как деревенский вор топчет огород соседа…

И я стал молоть про духанщиков вздор, слышанный мною когда-то… Жалость к себе разрывала мне сердце. Гибель казалась неотвратимой. Дрожь горя и вдохновения корчила меня. Струи леденящего пота потекли по лицу, как змеи, пробирающиеся по траве, нагретой солнцем. Я замолчал, заплакал и отвернулся. История была кончена. Керосинка давно потухла. Вода закипела и остыла. Резиновая кишка свисала со стены. Женщина неслышно пошла к окну. Передо мной двигалась ее спина, ослепительная и печальная. В окне, в уступах гор, загорался свет.

— Чего делают, — прошептала Вера не оборачиваясь, — Боже, чего делают…

Она протянула голые руки и развела створки окна. На улице посвистывали остывающие камни. Запах воды и пыли шел по мостовой... Голова Веры пошатывалась.

— Значит — бляха... Наша сестра — стерва...

Я понурился.

— Ваша сестра — стерва...

Вера обернулась ко мне. Рубаха косым клочком лежала на ее теле.

— Чего делают, — повторила женщина громче. — Боже, чего делают... Ну, а баб ты знаешь?..

Я приложил обледеневшие губы к ее руке.

— Нет... Откуда мне их знать, кто меня допустит?

Голова моя тряслась у ее груди, свободно вставшей надо мной. Оттянутые соски толкались о мои щеки. Раскрыв влажные веки, они толкались, как телята. Вера сверху смотрела на меня.

— Сестричка, — прошептала она, опускаясь на пол рядом со мной, — сестричка моя, бляха...

Теперь скажите, мне хочется спросить об этом, скажите, видели ли вы когда-нибудь, как рубят деревенские плотники избу для своего же собрата плотника, как споро, сильно и счастливо летят стружки прочь от обтесываемого бревна?.. В ту ночь тридцатилетняя женщина обучила меня своей науке. Я узнал в ту ночь тайны, которых вы не узнаете, испытал любовь, которой вы не испытаете, услышал слова женщины, обращенные к женщине. Я забыл их. Нам не дано помнить это.

Мы заснули на рассвете. Нас разбудил жар наших тел, жар, камнем лежавший в кровати. Проснувшись, мы засмеялись друг другу. Я не пошел в этот день в типографию. Мы пили чай на майдане, на базаре старого города. Мирный турок налил нам из завернутого в полотенце самовара чай, багровый, как кирпич, дымящийся, как только что пролитая кровь. В стенках стакана пылало дымное пожарище солнца. Тягучий крик ослов смешивался с ударами котельщиков. Под шатрами на выцветших коврах были выставлены в ряд медные кувшины. Собаки рылись мордами в воловьих кишках. Караван пыли летел на Тифлис — город роз и бараньего сала. Пыль заносила малиновый костер солнца. Турок подливал нам чаю и на счетах отсчитывал баранки. Мир был прекрасен для того, чтобы сделать нам приятное. Когда испарина бисером обложила меня, я поставил стакан донышком вверх. Расплачиваясь с турком, я придвинул к Вере две золотых пятирублевки. Полная ее нога лежала на моей ноге. Она отодвинула деньги и сняла ногу.

— Расплеваться хочешь, сестричка?..

Нет, я не хотел расплеваться. Мы уговорились встретиться вечером, и я положил обратно в кошелек два золотых — мой первый гонорар.

Прошло много лет с тех пор. За это время много раз получал я деньги от редакторов, от ученых людей, от евреев, торгующих книгами. За победы, которые были поражениями, за поражения, ставшие победами, за жизнь и за смерть они платили ничтожную плату, много ниже той, которую я получил в юности от первой моей читательницы. Но злобы я не испытываю. Я не испытываю ее потому, что знаю, что не умру, прежде чем не вырву из рук любви еще один — и это будет мой последний — золотой.

ЛИНИЯ И ЦВЕТ

ПУБЛИЧНАЯ БИБЛИОТЕКА

То, что это царство книги, чувствуется сразу. Люди, обслуживающие библиотеку, прикоснулись к книге, к отраженной жизни и сами как бы сделались лишь отражением живых, настоящих людей.

Даже служители в раздевальной загадочно тихи, исполнены созерцательного спокойствия, не брюнеты и не блондины, а так — нечто среднее.

Дома они, может быть, под воскресенье пьют денатурат и долго бьют жену, но в библиотеке характер их нешумлив, неприметен и завуалированно-сумрачен.

Есть и такой служитель: рисует. В глазах у него ласковая грусть. Раз в две недели, снимая пальто с толстого человека в черном пиджаке, он негромко говорит о том, что «Николай Сергеевич мои рисунки одобрили и Константин Васильевич также одобрили, первоначальное я произошел, но куда податься, между прочим, совсем неизвестно».

Толстый человек слушает. Он репортер, женат, обжорлив и заработался. Раз в две недели ходит в библиотеку отдыхать — читает об уголовных процессах, старательно рисует на бумажке план помещения, где происходило убийство, очень доволен и забывает о том, что женат и заработался.

Репортер слушает служителя с испуганным недоумением и думает о том — вот ведь как поступить с таким человеком? Дать гривенник, когда уйдешь, — может обидеться: художник; не дать — тоже может обидеться: все-таки служитель.

В читальном зале — служащие повыше: библиотекари. Одни из них — «замечательные» — обладают каким-нибудь ярко выраженным физическим недостатком: у этого пальцы скрючены, у того съехала набок голова и так и осталась. Они плохо одеты, тощи до крайности. Похоже на то, что ими фанатически владеет какая-то мысль, миру неизвестная.

Хорошо бы их описал Гоголь!

У библиотекарей «незамечательных» — начинающаяся нежная лысина, серые чистые костюмы, корректность во взорах и тягостная медлительность в движениях. Они постоянно что-то жуют и двигают челюстями, хотя ничего у них во рту нет, говорят привычным шепотом; вообще, испорчены книгой, тем, что нельзя сочно зевнуть.

Публика теперь, во время войны, изменилась. Меньше студентов. Совсем мало студентов. В кои-то веки увидишь студента, безбольно погибающего в уголку. Это — «белобилетник». Он в пенсне или деликатно подхрамывает. Есть, впрочем, еще государственники. Государственник — это человек рыхловатый, с обвисающими усами, уставший от жизни и большой созерцатель: что-то почитает, о чем-то подумает, посмотрит на узоры ламп и поникнет к книге. Ему надо кончать университет, надо идти в солдаты, а в общем, зачем торопиться? Успеется.

Прежний студент вернулся в библиотеку в обличье раненого офицера, с черной повязкой. Рана его заживает. Он молод и румян. Пообедал, прошелся по Невскому. На Невском уже огни. Совершает победное шествие Вечерняя Биржевка. У Елисеева выставлен виноград в просе. В гости еще рано. Офицер идет по старой памяти в Публичку, вытягивает под столом, за которым сидит, длинные ноги и читает «Аполлон». Скучновато. Напротив сидит курсистка. Учит анатомию и срисовывает желудок в тетрадочку. Происхождения она приблизительно калужского — широколица, ширококостна, румяна, добросовестна и вынослива. Если у нее есть возлюбленный, то это лучшее разрешение вопроса — добротный материал для любви.

Возле нее живописное tableau [1] — неизменная принадлежность каждой публичной библиотеки в Российской Империи — спит еврей. Он изможден. Волос его пламенно черен. Щеки впали. Лоб в шишках;

---

[1] Картина *(фр.)*.

рот полуоткрыт. Он посапывает. Откуда он — неизвестно. Есть ли право на жительство — неизвестно. Читает каждый день. Спит тоже каждый день. На лице ужасная неистребимая усталость и почти безумие. Мученик книги, особенный, еврейский, неугасимый мученик.

Вблизи стойки библиотекарей с выдающимся интересом читает большая женщина в серой кофте и с широкой грудной клеткой. Она из тех, кто говорит в библиотеке неожиданно громко, откровенно и восторженно удивляется книжным словесам и, исполненная восхищения, заговаривает с соседями. Читает она вот почему — ищет способ домашнего приготовления мыла. Лет ей приблизительно 45. Нормальна ли она? Этим вопросом задаются многие.

Есть еще один постоянный посетитель — жиденький полковник в просторном кителе, в широких штанах и в очень хорошо вычищенных сапожках. Ножки у него маленькие. Усы — цвета пепла сигары. Мажет их фиксатуаром, отчего получается гамма темно-серых цветов. Во дни оны был настолько бездарен, что не мог дослужиться до полковника, чтобы выйти в отставку генерал-майором. Будучи в отставке, весьма надоедал садовнику, прислуге и внуку. 73-х лет от роду проникся мыслью написать историю своего полка.

Пишет. Обложен тремя пудами материалов. Любим библиотекарями. Здоровается с ними с отменной вежливостью. Домашним больше не надоедает. Прислуга с удовольствием доводит сапожки до предельного блеска.

Много еще бывает в Публичке всяческого народу. Всех не опишешь. Вот столь измызганный субъект, что ему под стать только писать роскошную монографию о балете. Физиономия — трагическое издание лица Гауптмана, корпус — незначителен.

Есть, конечно, чиновники, вонзающиеся в груды «Русского инвалида» и «Правительственного вестника». Есть провинциальные юноши, во время чтения пламенеющие.

Вечер. В зале полумрак. У столов неподвижные фигуры — собрание усталости, любознательности, честолюбия...

За широкими окнами вьется мягкий снег. Недалеко — на Невском — кипит жизнь. Далеко — на Карпатах — льется кровь.

C'est la vie[1].

ДЕВЯТЬ

Их девять человек. Все они ждут приема у редактора. Первым входит в кабинет широкоплечий молодой человек, обладающий громким голосом и ярким галстуком. Представляется. Фамилия его — Сардаров. Профессия — куплетист. Просьба — издать куплеты. Есть предисловие, составленное знаменитым поэтом. Если нужно — может быть и послесловие.

Редактор внимает. Человек он задумчивый, медлительный, видавший виды. Спешить ему некуда. Номер составлен. Просматривает куплеты:

> Ах, жалобно стонет Франц —
> Иосиф ив в Вене —
> Ах, у мене уже совсем нету
> терпенья…

Редактор отвечает, что, к сожалению, и прочее. Журнал нуждается в статьях по кооперации, в заграничных корреспондентах…

Сардаров выпячивает грудь, до жестокости бонтонно извивается и с шумом уходит.

Вторым номером идет барышня — худенькая, застенчивая, очень красивая. Приходит она в третий раз. Стихи ее не для печати. Она очень хочет узнать — только этого она хочет, — стоит ли ей писать? Редактор говорит с ней ласково. Он видит ее иногда на Невском с высоким господином, изредка очень обстоятельно покупающим полдесятка яблок. Обстоятельность эта опасна. Стихи об этом свидетельствуют. В них бесхитростная история жизни. «Ты хочешь тела, — пишет девушка, — возьми его, мой враг, мой друг, но где душе найти мечту?»

Редактор думает. Тело он возьмет скоро. К этому идет. Очень уж у тебя растерянные, слабые и краси-

---

[1] Такова жизнь (*фр.*).

вые глаза. Мечту душа найдет менее быстро, а как женщина ты будешь пикантна.

В стихах девушка описывает жизнь «безумно-отпугивающую» или «безумно-прекрасную», прочие маленькие неприятности, и еще «звуки, звуки, звуки вокруг меня, пьянящие, звуки без конца»…

Есть уверенность, что по удачном завершении дела, затеянного обстоятельным господином, девушка перестанет писать стихи и начнет ходить к акушеркам.

После девушки к редактору входит литератор Лунев, маленький и нервный человек. История здесь сложная. Лунев когда-то разругал редактора. Человек он растерянный, семейный, талантливый и неудачливый. В суетливости своей, в погоне за рублем — не совсем разбирает, кого можно ругать, кого нельзя. Сначала выругался, а потом неожиданно для самого себя принес рукописи, а потом понял, что все это глупо, что трудно жить на свете и что не везет, ах, как не везет. В приемной у него было небольшое сердцебиение, в кабинете ему заявили, что «вещица» недурна, но, au fond[1], это же не литература, это же… Лунев лихорадочно согласился, неожиданно забормотал, что «вы-то, Александр Степанович, хороший человек, а я-то — к вам нехорошо, — все это можно разно понять, вот и все, я именно хотел оттенить, но все это глубже, честь имею»… У Лунева выступает уморительный румянец, дрожащими пальцами он собирает листки рукописи, и хочет он сделать вид, что не то он спокоен, не то он ироничен, а впрочем, Бог его знает, чего он хочет…

Лунева сменяют два очень обычных в редакциях персонажа. Первый персонаж — дама, розовая, жизнерадостная, белокурая дама. Идет от нее теплая волна духов. Глаза у нее светлые и наивные. Есть у нее сынок — девяти лет, и вот этот сынок — «вы знаете, — он пишет по целым дням, мы сначала не обращали внимания, но все знакомые в восторге, уж на что мой муж, он служит в мелиоративном отделе, уж на что положительный человек, совсем не признает новой литературы, ни, знаете, Андреева, ни Нагрод-

[1] По существу (*фр.*).

скую, но и он искренно смеялся, я принесла вам три тетради»…

Второй персонаж — Быховский. Он из Симферополя. Славный человек, жизнерадостный. Литературой он не занимается, де́ла у него к редактору, в сущности, нет, говорить ему, собственно, не о чем, но он подписчик, приехал он так — побеседовать и поделиться впечатлениями, окунуться в эту, знаете, петроградскую жизнь. Он и окунается. Редактор мямлит что-то о политике, о кадетах, — Быховский расцветает и уверен, что принимает деятельное участие в общественной жизни страны.

Самый печальный посетитель — это Корб. Он еврей, истинный Агасфер. Родился в Литве, был ранен во время погрома в одном из южных городов. С тех пор у Корба очень болит голова. Потом он был в Америке. Во время войны очутился почему-то в Антверпене и 44-х лет от роду поступил в иностранный легион. У Мобежа его контузили в голову. Она у него трясется. Каким-то образом Корба эвакуировали в Россию, в Петроград. Он получает откуда-то пособие, снимает на Песках угол в смрадном подвале и пишет драму: «Царь Израильский». У Корба очень болит голова, по ночам он не спит, а ходит по подвалу и думает. Хозяин его, упитанный и снисходительный человек, курящий черные сигары по 4 коп. штука, сначала сердился, но потом, побежденный кротостью и трудолюбием Корба, исписывавшего сотни листов, полюбил его. На Корбе старый, выцветший антверпенский сюртук. Подбородок небрит, в глазах — и усталость, и фанатическое к чему-то стремление. У Корба болит голова, но он пишет драму, и эта драма начинается так: «Звони в колокола, погибла Иудея»…

После Корба остаются трое. Один из них молодой человек из провинции, неторопливый, размышляющий, долго усаживающийся в кресло и долго на нем сидящий. Его медлительное внимание привлекают картины на стенах, вырезки на столе, портреты сотрудников… Что ему, собственно, угодно? Собственно, ему ничего не угодно… Он работал в прессе… В какой прессе? В провинциальной… А вот интересно, в скольких экземплярах расходится ваш журнал, какая оценка труда?.. Молодому человеку объясняют, что на такие вопросы не всегда отвечают и что если он пишет, то — пожалуйста, а если не пишет, то… Молодой человек ответствует, что писать-то он не пишет, специальности у него нет, но он мог бы быть, например… редактором.

Выходит «редактор», входит Смурский… Тоже с биографией человек. Служил агрономом в Кашинском уезде Тверской губернии. Спокойный уезд, славная губерния. Но Смурского влекло в Петроград. Он предложил свои услуги в качестве агронома, кроме того, он принес в одну из редакций 20 рукописей. Из них две были приняты. Смурский пришел к убеждению, что ему везет в литературе. Услуг своих в качестве агронома больше не предлагал. Нынче ходит в визитке и с портфелем. Пишет каждый день и много. Печатают мало.

А девятый посетитель вот кто — Степан Драко, «путешественник пешком вокруг света, король жизни и лектор».

НА ПОЛЕ ЧЕСТИ

Печатаемые здесь рассказы — начало моих заметок о войне. Содержание их заимствовано из книг, написанных французскими солдатами и офицерами, участниками боев. В некоторых отрывках изменена фабула и форма изложения, в других я старался ближе держаться к оригиналу.

НА ПОЛЕ ЧЕСТИ

Германские батареи бомбардировали деревни из тяжелых орудий. Крестьяне бежали к Парижу. Они тащили за собой калек, уродцев, рожениц, овец, собак, утварь. Небо, блиставшее синевой и зноем, медлительно багровело, распухало и обволакивалось дымом.

Сектор у N занимал 37 пехотный полк. Потери были огромны. Полк готовился к контратаке. Капитан Ratin [1] обходил траншеи. Солнце было в зените.

---

[1] Ратэн (*фр.*).

Из соседнего участка сообщили, что в 4 роте пали все офицеры. 4 рота продолжает сопротивление.

В 300 метрах от траншеи Ratin увидел человеческую фигуру. Это был солдат Биду, дурачок Биду. Он сидел, скорчившись, на дне сырой ямы. Здесь когда-то разорвался снаряд. Солдат занимался тем, чем утешаются дрянные старикашки в деревнях и порочные мальчишки в общественных уборных. Не будем говорить об этом.

— Застегнись, Биду, — с омерзением сказал капитан. — Почему ты здесь?

— Я... я не могу этого сказать вам... Я боюсь, капитан!..

— Ты нашел здесь жену, свинья! Ты осмелился сказать мне в лицо, что ты трус, Биду. Ты оставил товарищей в тот час, когда полк атакует. Bien, mon cochon[1].

— Клянусь вам, капитан!.. Я все испробовал... Биду, сказал я себе, будь рассудителен... Я выпил бутыль чистого спирту для храбрости. Je ne peux pas, capitaine[2]. Я боюсь, капитан!..

Дурачок положил голову на колени, обнял ее двумя руками и заплакал. Потом он взглянул на капитана, и в щелках его свиных глазок отразилась робкая и нежная надежда.

Ratin был вспыльчив. Он потерял двух братьев на войне, и у него не зажила рана на шее. На солдата обрушилась кощунственная брань, в него полетел сухой град тех отвратительных, яростных и бессмысленных слов, от которых кровь стучит в висках, после которых один человек убивает другого.

Вместо ответа Биду тихонько покачивал своей круглой рыжей лохматой головой, твердой головой деревенского идиота.

Никакими силами нельзя было заставить его подняться. Тогда капитан подошел к самому краю ямы и прошипел совершенно тихо:

— Встань, Биду, или я оболью тебя с головы до ног.

Он сделал, как сказал. С капитаном Ratin шутки были плохи. Зловонная струя с силой брызнула в лицо солдата. Биду был дурак, деревенский дурак, но он не перенес обиды. Он закричал нечеловеческим

---

[1] Хорошо, мой поросенок (*фр.*).

[2] Я не могу, капитан (*фр.*).

и протяжным криком; этот тоскливый, одинокий, затерявшийся вопль прошел по взбороненным полям; солдат рванулся, заломил руки и бросился бежать полем к немецким траншеям. Неприятельская пуля пробила ему грудь. Ratin двумя выстрелами прикончил его из револьвера. Тело солдата даже не дернулось. Оно осталось на полдороге, между вражескими линиями.

Так умер Селестин Биду, нормандский крестьянин, родом из Ори, 21 года — на обагренных кровью полях Франции.

То, что я рассказал здесь, — правда. Об этом написано в книге капитана Гастона Видаля «Figures et anecdotes de la grand Guerre»[1]. Он был этому свидетелем. Он тоже защищал Францию, капитан Видаль.

ДЕЗЕРТИР

Капитан Жемье был превосходнейший человек, к тому же философ. На поле битвы он не знал колебаний, в частной жизни умел прощать маленькие обиды. Это немало для человека — прощать маленькие обиды. Он любил Францию с нежностью, пожиравшей его сердце, поэтому ненависть его к варварам, осквернившим древнюю ее землю, была неугасима, беспощадна, длительна, как жизнь.

Что еще сказать о Жемье? Он любил свою жену, сделал добрыми гражданами своих детей, был французом, патриотом, книжником, парижанином и любителем красивых вещей.

И вот — в одно весеннее сияющее розовое утро капитану Жемье доложили, что между французскими и неприятельскими линиями задержан безоружный солдат. Намерение дезертировать было очевидно, вина несомненна, солдата доставили под стражей.

— Это ты, Божи?

— Это я, капитан, — отдавая честь, ответил солдат.

— Ты воспользовался зарей, чтоб подышать чистым воздухом?

Молчание.

— C'est bien[2]. Оставьте нас.

---

[1] «Типы и анекдоты большой войны» (*фр.*).

[2] Хорошо (*фр.*).

Конвой удалился. Жемье запер дверь на ключ. Солдату было двадцать лет.

— Ты знаешь, что тебя ожидает? Voyons [1], объяснись.

Божи ничего не скрыл. Он сказал, что устал от войны.

— Я очень устал от войны, mon capitaine [2]! Снаряды мешают спать шестую ночь…

Война ему отвратительна. Он не шел предавать, он шел сдаться.

Вообще говоря, он был неожиданно красноречив, этот маленький Божи. Он сказал, что ему всего двадцать лет, mon Dieu, c'est naturel [3], в двадцать лет можно совершить ошибку. У него есть мать, невеста, des bons amis [4]. Перед ним вся жизнь, перед этим двадцатилетним Божи, и он загладит свою вину перед Францией.

— Капитан, что скажет моя мать, когда узнает, что меня расстреляли, как последнего негодяя?

Солдат упал на колени.

— Ты не разжалобишь меня, Божи! — ответил капитан. — Тебя видели солдаты. Пять таких солдат, как ты, и рота отравлена. C'est la defaite. Cela jamais [5]. Ты умрешь, Божи, но я спасаю тебя в твою последнюю минуту. В мэрии не будет известий о твоем позоре. Матери сообщат, что ты пал на поле чести. Идем.

Солдат последовал за начальником. Когда они достигли леса, капитан остановился, вынул револьвер и протянул его Божи.

— Вот способ избегнуть суда. Застрелись, Божи! Я вернусь через пять минут. Все должно быть кончено.

Жемье удалился. Ни единый звук не нарушил тишину леса. Офицер вернулся. Божи ждал его сгорбившись.

— Я не могу, капитан, — прошептал солдат. — У меня не хватает силы…

И началась та же канитель — мать, невеста, друзья, впереди жизнь…

---

[1] Посмотрим (*фр.*).

[2] Мой капитан (*фр.*).

[3] Мой Бог, это естественно (*фр.*).

[4] Хорошие друзья (*фр.*).

[5] Поражение. Ну никогда (*фр.*).

— Я даю тебе еще пять минут, Божи! Не заставляй меня гулять без дела.

Когда капитан вернулся, солдат всхлипывал, лежа на земле. Пальцы его, лежавшие на револьвере, слабо шевелились.

Тогда Жемье поднял солдата и сказал, глядя ему в глаза, тихим и душевным голосом:

— Друг мой, Божи, может быть, ты не знаешь, как это делается?

Не торопясь, он вынул револьвер из мокрых рук юноши, отошел на три шага и прострелил ему череп.

* * *

И об этом происшествии рассказано в книге Гастона Видаля. И действительно, солдата звали Божи. Правильно ли данное мною капитану имя Жемье — этого я точно не знаю. Рассказ Видаля посвящен некоему Фирмену Жемье в знак глубокого благоговения. Я думаю, посвящения достаточно. Конечно, капитана звали Жемье. И потом, Видаль свидетельствует, что капитан действительно был патриот, солдат, добрый отец и человек, умевший прощать маленькие обиды. А это немало для человека — прощать маленькие обиды.

СЕМЕЙСТВО ПАПАШИ МАРЕСКО

Мы занимаем деревню, отбитую у неприятеля. Это маленькое пикардийское селеньице — прелестное и скромное. Нашей роте досталось кладбище. Вокруг нас сломанные распятия, куски надгробных памятников, плиты, развороченные молотом неведомого осквернителя. Истлевшие трупы вываливаются из гробов, разбитых снарядами. Картина достойна тебя, Микельанджело!

Солдату не до мистики. Поле черепов превращено в траншеи. На то война. Мы живы еще. Если нам суждено увеличить население этого прохладного уголка, что ж — мы сначала заставили гниющих стариков поплясать под марш наших пулеметов.

Снаряд приподнял одну из надгробных плит. Это сделано для того, чтобы предложить мне убежище, никакого сомнения. Я водворился в этой дыре, que voules vous, on loge, ou on peut[1].

И вот — весеннее, светлое ясное утро. Я лежу на покойниках, смотрю на жирную траву, думаю о Гамлете. Он был неплохой философ, этот бедный принц. Черепа отвечали ему человеческими словами. В наше время это искусство пригодилось бы лейтенанту французской армии.

Меня окликает капрал:

— Лейтенант, вас хочет видеть какой-то штатский.

Какого дьявола ищет штатский в этой преисподне?

Персонаж делает свой выход. Поношенное, выцветшее существо. Оно облачено в воскресный сюртук. Сюртук забрызган грязью. За робкими плечами болтается мешок, на половину пустой. В нем, должно быть, мороженый картофель; каждый раз, когда старик делает движение, что-то трещит в мешке.

— Eh bien[2], в чем дело?

— Моя фамилия, видите ли, монсье Мареско, — шепчет штатский и кланяется. — Потому я и пришел…

— Дальше?

— Я хотел бы похоронить мадам Мареско и все семейство, господин лейтенант!

— Как вы сказали?

— Моя фамилия, видите ли — папаша Мареско. — Старик приподнимает шляпу над серым лбом. — Может быть, слышали, господин лейтенант?

Папаша Мареско? Я слышал эти слова. Конечно, я их слышал. Вот она — вся история. Дня три тому назад, в начале нашей оккупации, всем мирным гражданам был отдан приказ эвакуироваться. Одни ушли, другие остались; оставшиеся засели в погребах. Бомбардировка победила мужество, защита камня оказалась ненадежной. Появились убитые. Целое семейство задохлось под развалинами подземелья. И это было семейство Мареско. Их фамилия осталась у меня в памяти — настоящая французская фамилия. Их было четверо — отец, мать и две дочери. Только отец спасся.

---

[1] Что вы хотите, живут где могут (*фр.*).

[2] Хорошо (*фр.*).

— Мой бедный друг, так это вы Мареско? Все это очень грустно. Зачем вам понадобился это несчастный погреб, к чему?

Меня перебил капрал.

— Они, кажется, начинают, лейтенант…

Этого следовало ожидать. Немцы заметили движение в наших траншеях. Залп по правому флангу, потом левее. Я схватил папашу Мареско за ворот и стащил его вниз. Мои молодцы, втянув головы в плечи, тихонько сидели под прикрытием, никто носу не высунул.

Воскресный сюртук бледнел и ежился. Недалеко от нас промяукала кошечка в 12 сантиметров.

— Что вам нужно, папаша, говорите живее. Вы видите, здесь кусаются.

— Mon lieutenant [1], я все сказал вам, я хотел бы похоронить мое семейство.

— Отлично, я прикажу сходить за телами.

— Тела при мне, господин лейтенант!

— Что такое?

Он указал на мешок. В нем оказались скудные остатки семьи папаши Мареско.

Я вздрогнул от ужаса.

— Хорошо, старина, я прикажу их похоронить.

Он посмотрел на меня как на человека, выпалившего совершенную глупость.

— Когда стихнет этот проклятый шум, — начал я снова, — мы выроем им превосходную могилу. Все будет сделано, perè Marescot [2], будьте спокойны…

— Но у меня фамильный склеп…

— Отлично, укажите его нам.

— Но, но…

— Что такое — но?

— Но, mon lieutenant, мы в нем сидим все время.

КВАКЕР

Заповедано — не убий. Вот почему Стон — квакер — записался в колонну автомобилистов. Он помогал своему отечеству, не совершая страшного греха человекоубийства. Воспитание и богатство доз-

---

[1] Мой лейтенант (*фр.*).

[2] Папаша Мареско (*фр.*).

воляли ему занять более высокую должность, но, раб своей совести, он принимал со смирением невидную работу и общество людей, казавшихся ему грубыми.

Что был Стон? Лысый лоб у вершины палки. Господь даровал ему тело лишь для того, чтобы возвысить мысли над жалкими скорбями мира сего. Каждое его движение было не более как победа, одержанная духом над материей. У руля своего автомобиля, каковы бы ни были грозные обстоятельства, он держался с деревянной неподвижностью проповедника на кафедре. Никто не видел, как Стон смеется.

Однажды утром, будучи свободен от службы, он возымел мысль выйти на прогулку для того, чтобы преклониться перед Создателем в его творениях. С огромной Библией под мышкой Стон пересекал длинными своими ногами лужайки, возрожденные весной. Вид ясного неба, щебетание воробьев в траве — все заливало его радостью.

Стон сел, открыл свою Библию, но в ту минуту увидел у изгиба аллеи непривязанную лошадь, с торчащими от худобы боками. Тотчас же голос долга с силой заговорил в нем, — у себя на родине Стон был членом общества покровительства животным. Он приблизился к скотине, погладил ее мягкие губы и, забыв о прогулке, направился к конюшне. По дороге, не выпуская из рук своей Библии с застежками, — он напоил лошадь у колодца.

Конюшенным мальчиком состоял некий юноша по фамилии Бэккер. Нрав этого молодого человека издавна составлял причину справедливого гнева Стона: Бэккер оставлял на каждом привале безутешных невест.

— Я бы мог, — сказал ему квакер, — объявить о вас майору, но надеюсь, что на этот раз и моих слов будет достаточно. Бедная, больная лошадь, которую я привел и за которой вы будете ухаживать, достойна лучшей участи, чем вы.

И он удалился размеренным, торжественным шагом, не обращая внимания на гоготание, раздававшееся позади него. Четырехугольный, выдвинутый вперед подбородок юноши с убедительностью свидетельствовал о непобедимом упорстве.

Прошло несколько дней. Лошадь все время бродила без призору. На этот раз Стон сказал Бэккеру с твердостью:

— Исчадие сатаны, — так приблизительно начиналась эта речь, — Всевышним позволено нам, может быть, погубить свою душу, но грехи ваши не должны всею тяжестью пасть на невинную лошадь. Поглядите на нее, негодяй. Она расхаживает здесь в величайшем беспокойстве. Я уверен, что вы грубо обращаетесь с ней, как и пристало преступнику. Еще раз повторяю вам, сын греха: идите к гибели с той поспешностью, какая вам покажется наилучшей, но заботьтесь об этой лошади, иначе вы будете иметь дело со мной.

С этого дня Стон счел себя облеченным Провидением особой миссией — заботой о судьбе обиженного четвероногого. Люди, по грехам их, казались ему малодостойными уважения; к животным же он испытывал неописуемую жалость. Утомительные занятия не препятствовали ему держать нерушимым его обещание Богу.

Часто по ночам квакер выбирался из своего автомобиля — он спал в нем, скорчившись на сиденье, — для того, чтобы убедиться, что лошадь находится в приличном отдалении от бэккеровского сапога, окованного гвоздями. В хорошую погоду он сам садился на своего любимца, и кляча, важно попрыгивая, рысцою носила по зеленеющим полям его тощее, длинное тело. С своим бесцветным желтым лицом, сжатыми бледными губами, Стон вызывал в памяти бессмертную и потешную фигуру рыцаря печального образа, трусящего на Росинанте среди цветов и возделанных полей.

Усердие Стона приносило плоды. Чувствуя себя под неусыпным наблюдением, грум всячески изловчался, чтобы не быть пойманным на месте преступления. Но наедине с лошадью он вымещал на ней ярость своей низкой души. Испытывая необъяснимый страх перед молчаливым квакером — он ненавидел Стона за этот страх и презирал себя. У него не было другого средства поднять себя в собственных глазах, как издеваться над лошадью, которой покровительствовал Стон. Такова презренная гордость человека. Запираясь с лошадью в конюшне, грум колол ее отвислые волосатые губы раскаленными иголками, сек ее проволочным кнутом по спине и сыпал ей соль в глаза. Когда измученное, ослепленное едким порошком животное, оставленное наконец в покое, боязливо пробиралось к стойлу, качаясь как пьяный, мальчишка ложился на живот и хохотал во все горло, наслаждаясь местью.

На фронте произошла перемена. Дивизия, к составу которой принадлежал Стон, была переведена на более опасное место. Религиозные его верования не разрешали ему убивать, но дозволяли быть убитым. Германцы наступали на Изер. Стон перевозил раненых. Вокруг него с поспешностью умирали люди разных стран. Старые генералы, чисто вымытые, с припухлостями на лице, стояли на холмиках и оглядывали окрестность в полевые бинокли. Гремела, не переставая, канонада. Земля издавала зловоние, солнце копалось в развороченных трупах.

Стон забыл свою лошадь. Через неделю совесть принялась за грызущую свою работу. Улучив время, квакер отправился на старое место. Он нашел лошадь в темном сарае, сбитом из дырявых досок. Животное еле держалось на ногах от слабости, глаза его были затянуты мутной пленкой. Лошадь слабо заржала, увидев своего верного друга, и положила ему на руки падавшую морду.

— Я ничем не виноват, — дерзко сказал Стону грум, — нам не выдают овса.

— Хорошо, — ответил Стон, — я добуду овес.

Он посмотрел на небо, сиявшее через дыру в потолке, и вышел.

Я встретил его через несколько часов и спросил — опасна ли дорога? Он казался более сосредоточенным, чем обыкновенно. Последние кровавые дни наложили на него тяжкую печать, он как будто носил траур по самом себе.

— Выехать было нетрудно, — глухо проговорил он, — в конце пути могут произойти неприятности. — И прибавил неожиданно: — Я выехал в фуражировку. Мне нужен овес.

На следующее утро солдаты, отправленные на поиски, нашли его убитым у руля автомобиля. Пуля пробила череп. Машина осталась во рву.

Так умер Стон — квакер — из-за любви к лошади.

ВЕЧЕР У ИМПЕРАТРИЦЫ

В кармане кетовая икра и фунт хлеба. Приюта нет. Я стою на Аничковом мосту, прижавшись к Клодтовым коням. Разбухший вечер двигается с Морской. По Невскому, запутанные в вату, бродят оранжевые огоньки. Нужен угол. Голод пилит меня, как неумелый мальчуган скрипичную струну. Я перебираю в памяти квартиры, брошенные буржуазией. Аничков дворец вплывает в мои глаза всей своей плоской громадой. Вот он — угол.

Проскользнуть через вестибюль незамеченным — это нетрудно. Дворец пуст. Неторопливая мышь царапается в боковой комнате. Я в библиотеке вдовствующей императрицы Марии Федоровны. Старый немец, стоя посредине комнаты, закладывает в уши вату. Он собирается уходить. Удача целует меня в губы. Немец мне знаком. Когда-то я напечатал бесплатно его заявление об утере паспорта. Немец принадлежит мне всеми своими честными и вялыми потрохами. Мы решаем — я буду ждать Луначарского в библиотеке, потому что, видите ли, мне надобен Луначарский.

Мелодически тикающие часы смыли немца из комнаты. Я один. Хрустальные шары пылают надо мной желтым шелковым светом. От труб парового отопления идет неизъяснимая теплота. Глубокие диваны облекают покоем мое иззябшее тело.

Поверхностный обыск дает результаты. Я обнаруживаю в камине картофельный пирог, кастрюлю, щепотку чая и сахар. И вот — спиртовая машинка высунула-таки свой голубоватый язычок. В этот вечер я поужинал по-человечески. Я разостлал на резном китайском столике, отсвечивавшем древним лаком, тончайшую салфетку. Каждый кусок этого сурового пайкового хлеба я запивал чаем сладким, дымящимся, играющим коралловыми звездами на граненых стенках стакана. Бархат сидений поглаживал пухлыми ладонями мои худые бока. За окном на петербургский гранит, помертвевший от стужи, ложились пушистые кристаллы снега.

Свет сияющими лимонными столбами струился по теплым стенам, трогал корешки книг, и они мерцали ему в ответ голубым золотом.

Книги — истлевшие и душистые страницы, — они отвели меня в далекую Данию. Больше полустолетия тому назад их дарили юной принцессе, отправлявшейся из своей маленькой и целомудренной страны в свирепую Россию. На строгих титулах, выцветшими чернилами, в трех косых строчках, прощались с принцессой воспитавшие ее придворные дамы и подруги из Копенгагена — дочери государственных советников, учителя — пергаментные профессора из лицея и отец-король и мать-королева, плачущая мать. Длинные полки маленьких пузатых книг с почерневшими золотыми обрезами, детские Евангелия, перепачканные чернилами, робкими кляксами, неуклюжими самодельными обращениями к Господу Иисусу, сафьяновые томики Ламартина и Шенье с засохшими, рассыпающимися в пыль цветами. Я перебираю эти истончившиеся листки, пережившие забвение, образ неведомой страны, нить необычайных дней возникает передо мной — низкие ограды вокруг королевских садов, роса на подстриженных газонах, сонные изумруды каналов и длинный король с шоколадными баками, покойное гудение колокола над дворцовой церковью и, может быть, любовь, девическая любовь, короткий шепот в тяжелых залах. Маленькая женщина с притертым пудрой лицом, пронырливая интриганка с неутомимой страстью к властвованью, яростная самка среди преображенских гренадеров, безжалостная, но внимательная мать, раздавленная немкой, — императрица Мария Федоровна развивает передо мной свиток своей глухой и долгой жизни.

Только поздним вечером я оторвался от этой жалкой и трогательной летописи, от призраков с окровавленными черепами. У вычурного коричневого потолка по-прежнему спокойно пылали хрустальные шары, налитые роящейся пылью. Возле драных моих башмаков, на синих коврах застыли свинцовые ручейки. Утомленный работой мозга и этим жаром тишины, я заснул.

Ночью — по тускло блистающему паркету коридоров — я пробирался к выходу. Кабинет Александра III, высокая коробка с заколоченными окнами, выходящими на Невский. Комнаты Михаила Александровича — веселенькая квартира просвещенного офицера, занимающегося гимнастикой, стены обтянуты светленькой материей в бледно-розовых разводах, на низких каминах фарфоровые безделушки, подделанные под наивность и ненужную мясистость семнадцатого века.

Я долго ждал, прижавшись к колонне, пока не заснул последний придворный лакей. Он свесил сморщенные, по давней привычке, выбритые щеки, фонарь слабо золотил его упавший высокий лоб.

В первом часу ночи я был на улице. Невский принял меня в свое бессонное чрево. Я пошел спать на Николаевский вокзал. Те, кто бежал отсюда, пусть знают, что в Петербурге есть где провести вечер бездомному поэту.

ХОДЯ

Неумолимая ночь. Разящий ветер. Пальцы мертвеца перебирают обледенелые кишки Петербурга. Багровые аптеки стынут на углах. Фармацевт уронил набок расчесанную головку. Мороз взял аптеку за фиолетовое сердце. И сердце аптеки издохло.

Никого на Невском. Чернильные пузыри лопаются в небе. Два часа ночи. Конец. Неумолимая ночь.

Девка и личность сидят на перилах кафе «Бристоль». Две скулящие спины. Две иззябшие вороны на голом кусте.

— Ежели волей сатаны вы наследуете усопшему императору, то ведите за собой народные массы, матереубийцы... Но шалишь... Они держатся на латышах, а латыши — это монголы, Глафира!..

У личности по обеим сторонам лица висят щеки, как мешки старьевщика. У личности в порыжелых зрачках бродят раненые коты.

— Христом молю вас, Аристарх Терентьич, отойдите на Надеждинскую. Когда я с мужчиной — кто же познакомится?

Китаец в кожаном проходит мимо. Он поднимает буханку хлеба над головой. Он отмечает голубым ногтем линию на корке. Фунт. Глафира поднимает два пальца. Два фунта.

Тысяча пил стонет в окостенелом снегу переулков. Звезда блестит в чернильной тверди.

Китаец, остановившись, бормочет сквозь стиснутые зубы:

— Ты грязный, э?

— Я чистенькая, товарищ…

— Фунт.

На Надеждинской зажигаются зрачки Аристарха.

— Милый, — хрипло говорит девка, — со мной папаша крестный… Ты разрешишь ему поспать у стенки?..

Китаец медлительно кивает головой. О, мудрая важность Востока!

— Аристарх Терентьич, — прижимаясь к струящемуся кожаному плечу, кличет девка небрежно, — мой знакомый просют вас до себе в компанию…

Личность полна оживления.

— По причинам, от дирекции не зависящим, — не у дел… — шепчет она, играя плечами, — а было прошлое с кое-какой начинкой. Именно. Весьма лестно познакомиться. — Шереметев.

В гостинице им дали ханжи и не потребовали денег.

Поздно ночью китаец слез с кровати и пошел во тьму.

— Куда? — просипела Глафира, суча ногами.

Под спиной у нее натекло пятно от пота.

Китаец подошел к Аристарху, всхрапывавшему на полу у рукомойника. Он тронул старика за плечо и показал глазами на Глафиру.

— Отчего же, Васюк, — пролепетал с полу Аристарх, — ты обязательный, право, — и мелким шажком побежал к кровати.

— Уйди, пес, — сказала Глафира, — убил меня твой китаец.

— Она не слушается, Васюк, — прокричал Аристарх поспешно, — ты приказал, а она не слушается.

— Ми друг, — сказал китаец. — Он — можна. Э, стерфь…

— Вы пожилые, Аристарх Терентьич, — прошептала девушка, укладывая к себе старика, — а какое у вас понятие?

Точка.

КОНЕЦ СВ. ИПАТИЯ

Вчера я был в Ипатьевском монастыре, и монах Илларион, последний из обитающих здесь монахов, показывал мне дом бояр Романовых.

Московские люди пришли сюда в 1613 году просить на царство Михаила Федоровича.

Я увидел истоптанный угол, где молилась инокиня Марфа, мать царя, сумрачную ее опочивальню и вышку, откуда она смотрела гоньбу волков в костромских лесах.

Мы прошли с Илларионом по ветхим мостикам, заваленным сугробами, распугали ворон, угнездившихся в боярском терему, и вышли к церкви неописуемой красоты.

Обведенная венцом снегов, раскрашенная кармином и лазурью, она легла на задымленное небо севера, как пестрый бабий платок, расписанный русскими цветами.

Линии непышных ее куполов были целомудренны, голубые ее пристроечки были пузаты, и узорчатые переплеты окон блестели на солнце ненужным блеском.

В пустынной этой церкви я нашел железные ворота, подаренные Иваном Грозным, и обошел древние иконы, весь этот склеп и тлен безжалостной святыни.

Угодники — бесноватые нагие мужики с истлевшими бедрами — корчились на ободранных стенах, и рядом с ними была написана российская Богородица: худая баба, с раздвинутыми коленями и волочащимися грудями, похожими на две лишние зеленые руки.

Древние иконы окружили беспечное мое сердце холодом мертвенных своих страстей, и я едва спасся от них, от гробовых этих угодников.

Их Бог лежал в церкви, закостеневший и начищенный, как мертвец, уже обмытый в своем дому, но оставленный без погребения.

Один отец Илларион бродил вокруг своих трупов. Он припадал на левую ногу, задремывал, чесал в грязной бороде и скоро надоел мне.

Тогда я распахнул врата Ивана Четвертого, пробежал под черными сводами на площадку, и там блеснула мне Волга, закованная во льды.

Дым Костромы поднимался кверху, пробивая снега; мужики, одетые в желтые нимбы стужи, возили муку на дровнях, и битюги их вбивали в лед железные копыта.

Рыжие битюги, обвешанные инеем и паром, шумно дышали на реке, розовые молнии севера летали в соснах, и толпы, неведомые толпы, ползли вверх по обледенелым склонам.

Зажигательный ветер дул на них с Волги, множество баб проваливалось в сугробы, но бабы шли все выше и стягивались к монастырю, как осаждающие колонны.

Женский хохот гремел над горой, самоварные трубы и лохани въезжали на подъем, мальчишеские коньки стенали на поворотах.

Старые старухи втаскивали ношу на высокую гору — на гору святого Ипатия, — младенцы спали в их салазках, и белые козы шли у старух на поводу.

— Черти, — закричал я, увидев их, и отступил перед неслыханным нашествием. — Не к инокине ли Марфе идете вы, чтобы просить на царство Михаила Романова, ее сына?

— Ну тебя к шуту! — ответила мне баба и выступила вперед. — Зачем играешь с нами на дороге? Нам детей, что ль, от тебя нести?

И, вложившись в сани, она вкатила их на монастырский двор и чуть не сбила с ног потерявшегося отца Иллариона. Она вкатила в колыбель царей московских свои лохани, своих гусей, свой граммофон без трубы и, назвавшись Савичевой, потребовала для себя квартиру № 19 в архиерейских покоях.

И, к удивлению моему, Савичевой дали эту квартиру и всем другим вслед за нею.

И мне объяснили тут, что союз текстильщиков отстроил в сгоревшем корпусе 40 квартир для рабочих Костромской объединенной льняной мануфактуры и что сегодня они переселяются в монастырь.

Отец Илларион, стоя в воротах, пересчитал всех коз и переселенцев; потом он позвал меня чай пить и в молчании поставил на стол чашки, украденные им во дворе при взятии в музей утвари бояр Романовых.

Мы пили чай из этих чашек до поту, бабьи босые ноги топтались перед нами на подоконниках: бабы мыли стекла на новых местах.

Потом дым повалил изо всех труб, точно сговорился, незнакомый петух взлетел на могилу игумена отца Сиония и загорланил, чья-то гармошка, протомившись в интродукциях, запела нежную песню, и чужая старушонка в зипуне, просунув голову в келью отца Иллариона, попросила у него взаймы щепотку соли ко щам.

Был уже вечер, когда к нам пришла старушонка; багровые облака пухли над Волгой, термометр на наружной стене показывал 40 градусов мороза, исполинские костры, изнемогая, метались на реке, — все же неунывающий какой-то парень упрямо лез по промерзшей лестнице к перекладине над воротами — лез затем, чтобы повесить там пустяковый фонарик и вывеску, на которой было изображено множество букв: СССР и РСФСР, и знак союза текстилей, и серп и молот, и женщина, стоящая у ткацкого станка, от которого идут лучи во все стороны.

ЛИНИЯ И ЦВЕТ

Александра Федоровича Керенского я увидел впервые двадцатого декабря тысяча девятьсот шестнадцатого года в обеденной зале санатории Оллила. Нас познакомил присяжный поверенный Зацареный из Туркестана. О Зацареном я знал, что он сделал себе обрезание на сороковом году жизни. Великий князь Петр Николаевич, опальный безумец, сосланный в Ташкент, дорожил дружбой Зацареного. Великий князь этот ходил по улицам Ташкента нагишом, женился на казачке, ставил свечи перед портретом Вольтера, как перед образом Иисуса Христа, и осушил беспредельные равнины Аму-Дарьи. Зацареный был ему другом.

Итак — Оллила. В десяти километрах от нас сияли синие граниты Гельсингфорса. О Гельсингфорс, любовь моего сердца. О небо, текущее над эспланадой и улетающее, как птица.

Итак — Оллила. Северные цветы тлеют в вазах. Оленьи рога распростерлись на сумрачных плафонах. В обеденной зале пахнет сосной, прохладной грудью графини Тышкевич и шелковым бельем английских офицеров.

За столом рядом с Керенским сидит учтивый выкрест из департамента полиции. От него направо норвежец Никкельсен, владелец китобойного судна. Налево — графиня Тышкевич, прекрасная, как Мария-Антуанетта.

Керенский съел три сладких и ушел со мною в лес. Мимо нас пробежала на лыжах фрекен Кирсти.

— Кто это? — спросил Александр Федорович.

— Это дочь Никкельсена, фрекен Кирсти, — сказал я, — как она хороша...

Потом мы увидели вейку старого Иоганеса.

— Кто это? — спросил Александр Федорович.

— Это старый Иоганес, — сказал я. — Он везет из Гельсингфорса коньяк и фрукты. Разве вы не знаете кучера Иоганеса?

— Я знаю здесь всех, — ответил Керенский, — но я никого не вижу.

— Вы близоруки, Александр Федорович?

— Да, я близорук.

— Нужны очки, Александр Федорович.

— Никогда.

Тогда я сказал с юношеской живостью:

— Подумайте, вы не только слепы, вы почти мертвы. Линия, божественная черта, властительница мира, ускользнула от вас навсегда. Мы ходим с вами по саду очарований, в неописуемом финском лесу. До последнего нашего часа мы не узнаем ничего лучшего. И вот вы не видите обледенелых и розовых краев водопада, там, у реки. Плакучая ива, склонившаяся над водопадом, — вы не видите ее японской резьбы. Красные стволы сосен осыпаны снегом. Зернистый блеск роится в снегах. Он начинается мертвенной линией, прильнувшей к дереву, и на поверхности волнистой, как линия Леонардо, увенчан отражением пылающих облаков. А шелковый чулок фрекен Кирсти и линия ее уже зрелой ноги? Купите очки, Александр Федорович, заклинаю вас...

— Дитя, — ответил он, — не тратьте пороху. Полтинник за очки — это единственный полтинник, который я сберегу. Мне не нужна ваша линия, низменная, как действительность. Вы живете не лучше учителя тригонометрии, а я объят чудесами даже в Клязьме. Зачем мне веснушки на лице фрекен Кирсти, когда я, едва различая ее, угадываю в этой девушке все то, что я хочу угадать? Зачем мне облака на этом чухонском небе, когда я вижу мечущийся океан над моей головой? Зачем мне линии — когда у меня есть цвета? Весь мир для меня — гигантский театр, в котором я единственный зритель без бинокля. Оркестр играет вступление к третьему акту, сцена от меня далеко, как во сне, сердце мое раздувается от восторга, я вижу пурпурный бархат на Джульетте, лиловые шелка на Ромео и ни одной фальшивой бороды... И вы хотите ослепить меня очками за полтинник...

Вечером я уехал в город. О Гельсингфорс, пристанище моей мечты...

А Александра Федоровича я увидел через полгода, в июне семнадцатого года, когда он был верховным главнокомандующим российскими армиями и хозяином наших судеб.

В тот день Троицкий мост был разведен. Путиловские рабочие шли на Арсенал. Трамвайные вагоны лежали на улицах плашмя, как издохшие лошади.

Митинг был назначен в Народном доме. Александр Федорович произнес речь о России — матери и жене. Толпа удушала его овчинами своих страстей. Что увидел в ощетинившихся овчинах он — единственный зритель без бинокля? Не знаю... Но вслед за ним на трибуну взошел Троцкий, скривил губы и сказал голосом, не оставлявшим никакой надежды:

— Товарищи и братья...

ГЮИ ДЕ МОПАССАН

DOUDOU

Я был тогда санитаром в Н-ском госпитале. Однажды утром генерал С. — попечитель госпиталя — привел с собой молодую девушку и порекомендовал ее в качестве сестры милосердия. Конечно, приняли.

Звалась новая сестра la petite Doudou [1], была содержанкой генерала и по вечерам танцевала в кафешантане.

У нее была гибкая, вязкая гармоничная походка, прелестная, но чуть угловатая походка танцовщицы. Для того чтобы увидеть ее, я пошел потом в шантан. Она удивительно танцевала tango acrobatique [2], с неясной нежной страстностью и целомудренно, сказал бы я.

В госпитале она благоговела перед всеми солдатами и ухаживала за ними, как прислуга. Однажды, когда старший врач, проходя по палате, увидел, как Doudou, стоя на коленях, тужится застегнуть кальсоны у корявого, апатичного мужичонки Дыбы, он сказал:

«Ты бы, брат Дыба, постыдился. Мужику поручил бы».

Doudou подняла тогда ласковое, тихое лицо и промолвила: «Oh mon docteur [3], разве я не видела мужчин в кальсонах?»

Помню, на третий день Пасхи привезли к нам разбившегося летчика-француза — m-r Drouot. У него были раздроблены обе ноги. Он был бретонец, сильный, черный и молчаливый. Твердые щеки чуть отливали синевой. Так странно было видеть — мощное

---

[1] Крошка Дуду (*фр.*).

[2] Акробатическое танго (*фр.*).

[3] О, доктор (*фр.*).

туловище, точеная крутая шея и разбитые, беспомощные ноги.

Положили его в отдельной комнатке. Doudou часами просиживала у него. Они тихо и душевно разговаривали. Drouot рассказывал о полетах, о том, что он одинок: никого из близких, и все так грустно. Он влюбился в нее (это чувствовалось ясно), но смотрел на нее так, как нужно: нежно, страстно и задумчиво. А Doudou, прижимая руки к груди, с тихим удивлением говорила в коридоре сестре Кирдецовой:

«Il m'aime, ma soeur, il m'aime»[1].

В ночь на субботу она была дежурной и сидела у Drouot. Я находился в соседней комнате и видел их. Когда Doudou пришла, он сказал:

«Doudou, ma bien aimée[2]», — склонил голову ей на грудь и медленно стал целовать темно-синюю шелковую ее кофточку. Doudou стояла недвижимо. Пальцы ее вздрагивали и теребили пуговицы кофточки.

«Чего Вы хотите?» — спросила Doudou.

Он ответил что-то.

Doudou задумчиво, внимательно оглядела его и медлительно отвернула кружево воротника. Показалась мягкая белая грудь. Drouot вздохнул, вздрогнул и припал к ней. У Doudou от боли призакрылись глаза. Все же она заметила, что ему неудобно, и расстегнула еще и лиф. Он притянул Doudou к себе, но сделал резкое движение и застонал.

«Вам больно! — сказала Doudou. — Не надо больше, Вам нельзя…»

«Doudou, — ответил он, — я умру, если Вы уйдете».

Я отошел от окна. Все же я видел еще жалкое и бледное лицо Doudou, видел, как растерянно старалась она не сделать ему больно, слышал стон страсти и боли.

История получила огласку. Doudou уволили, проще — выгнали. В последнюю минуту она стояла в вестибюле и прощалась со мной. Из глаз ее выкатывались тяжелые и светлые слезы, но она улыбалась, чтобы не огорчить меня.

---

[1] Он любит меня, сестра, любит (*фр.*).

[2] Дуду, моя любимая (*фр.*).

«Прощайте, — сказала Doudou и протянула мне тонкую руку в светлой перчатке, — adieu, mon ami…»[1]. Потом помолчала и добавила, глядя мне прямо в глаза: «Il géle, il meurt, il est seul, il me prie, dirai-je non?»[2]

В это время в глубине вестибюля проковылял Дыба — грязнейший мужичонка. «Клянусь Вам, — промолвила тогда Doudou тихим и вздрагивающим голосом, — клянусь Вам, попроси меня Дыба, я сделала бы то же».

В ЩЕЛОЧКУ

Есть у меня знакомая — мадам Кебчик. В свое время, уверяет мадам Кебчик, она меньше пяти рублей «ни за какие блага» не брала.

Теперь у нее семейная квартира, и в семейной квартире две девицы — Маруся и Тамара. Марусю берут чаще, чем Тамару. Одно окно из комнаты девушек выходит на улицу, другое — отдушина под потолком — в ванную. Я увидел это и сказал Фанни Осиповне Кебчик:

— По вечерам вы будете приставлять лестницу к окошечку, что в ванной. Я взбираюсь на лестницу и заглядываю в комнату к Марусе. За это пять рублей.

Фанни Осиповна сказала:

— Ах, какой балованный мужчина! — и согласилась.

По пяти рублей она получала нередко. Окошечком я пользовался тогда, когда у Маруси бывали гости.

Все шло без помех, но однажды случилось глупое происшествие. Я стоял на лестнице. Электричества Маруся, к счастью, не погасила. Гость был в этот раз приятный, непритязательный и веселый малый с безобидными этакими и длинными усами. Раздевался он хозяйственно: снимет воротник, взглянет в зеркало, найдет у себя под усами прыщик, рассмотрит его и выдавит платочком. Снимет ботинку и тоже исследует — нет ли в подошве изъяну.

---

[1] Прощайте, мой друг... (*фр.*)

[2] Его знобит, он умирает, совсем один, он просит меня, неужели сказать «нет»? (*фр.*)

Они поцеловались, разделись и выкурили по папироске. Я собирался слезать. В это мгновенье я почувствовал, что лестница скользит и колеблется подо мной. Я цепляюсь за окошко и вышибаю форточку. Лестница падает с грохотом. Я вишу под потолком.

Во всей квартире гремит тревога. Сбегаются — Фанни Осиповна, Тамара и неведомый мне чиновник в форме Министерства финансов. Меня снимают. Положение мое жалкое. В ванную входят Маруся и долговязый гость.

Девушка всматривается в меня, цепенеет и говорит тихо:

— Мерзавец, ах, какой мерзавец...

Она замолкает, обводит всех нас бессмысленным взглядом, подходит к долговязому, целует отчего-то его руку и плачет.

Плачет и говорит, целуя:

— Милый, Боже мой, милый...

Долговязый стоит дурак дураком. У меня непреодолимо бьется сердце. Я царапаю себе ладони и ухожу к Фанни Осиповне.

Через несколько минут Маруся знает все. Все известно и все забыто. Но я думаю: отчего девушка целовала долговязого?

— Мадам Кебчик, — говорю я, — приставьте лестницу в последний раз. Я дам десять рублей.

— Вы слетели с ума, как ваша лестница, — отвечает хозяйка и соглашается.

И вот я снова стою у отдушины, заглядываю снова и вижу — Маруся обвила гостя тонкими руками, она целует его медленными поцелуями, и из глаз у нее текут слезы.

— Милый мой, — шепчет она, — Боже мой, милый мой, — и отдается со страстью возлюбленной. И лицо у нее такое, как будто один есть у нее в мире защитник — долговязый.

И долговязый деловито блаженствует.

ГЮИ ДЕ МОПАССАН

Зимой шестнадцатого года я очутился в Петербурге с фальшивым паспортом и без гроша денег.

Приютил меня учитель русской словесности — Алексей Казанцев.

Он жил на Песках, в промерзшей, желтой, зловонной улице. Приработком к скудному его жалованью были переводы с испанского; в ту пору входил в славу Бласко Ибаньес.

Казанцев и проездом не бывал в Испании, но любовь к этой стране заполняла его существо — он знал в Испании все замки, сады и реки. Кроме меня, к Казанцеву жалось еще множество вышибленных из правильной жизни людей. Мы жили впроголодь. Изредка бульварные листки печатали мелким шрифтом наши заметки о происшествиях.

По утрам я околачивался в моргах и полицейских участках.

Счастливее нас был все же Казанцев. У него была родина — Испания.

В ноябре мне представилась должность конторщика на Обуховском заводе, недурная служба, освобождавшая от воинской повинности.

Я отказался стать конторщиком.

Уже в ту пору — двадцати лет от роду — я сказал себе: лучше голодовка, тюрьма, скитания, чем сидение за конторкой часов по десяти в день. Особой удали в этом обете нет, но я не нарушал его и не нарушу. Мудрость дедов сидела в моей голове: мы рождены для наслаждения трудом, дракой, любовью, мы рождены для этого и ни для чего другого.

Слушая мои рацеи, Казанцев ерошил желтый короткий пух на своей голове. Ужас в его взгляде перемешивался с восхищением.

На Рождестве к нам привалило счастье. Присяжный поверенный Бендерский, владелец издательства «Альциона», задумал выпустить в свет новое издание сочинений Мопассана. За перевод взялась жена присяжного поверенного — Раиса. Из барской затеи ничего не вышло.

У Казанцева, переводившего с испанского, спросили, не знает ли он человека в помощь Раисе Михайловне. Казанцев указал на меня.

На следующий день, облачившись в чужой пиджак, я отправился к Бендерским. Они жили на углу Невского и Мойки, в доме, выстроенном из финляндского гранита и обложенном розовыми колонками, бойницами, каменными гербами. Банкиры без роду и племени, выкресты, разжившиеся на поставках, настроили в Петербурге перед войной множество пошлых, фальшиво величавых этих замков.

По лестнице пролегал красный ковер. На площадках, поднявшись на дыбы, стояли плюшевые медведи. В их разверстых пастях горели хрустальные колпаки.

Бендерские жили в третьем этаже. Дверь открыла горничная в наколке, с высокой грудью. Она ввела меня в гостиную, отделанную в древнеславянском стиле. На стенах висели синие картины Рериха — доисторические камни и чудовища. По углам — на поставцах — расставлены были иконы древнего письма. Горничная с высокой грудью торжественно двигалась по комнате. Она была стройна, близорука, надменна. В серых раскрытых ее глазах окаменело распутство. Девушка двигалась медленно. Я подумал, что в любви она, должно быть, ворочается с неистовым проворством. Парчовый полог, висевший над дверью, заколебался. В гостиную, неся большую грудь, вошла черноволосая женщина с розовыми глазами. Не нужно было много времени, чтобы узнать в Бендерской упоительную эту породу евреек, пришедших к нам из Киева и Полтавы, из степных, сытых городов, обсаженных каштанами и акациями. Деньги оборотистых своих мужей эти женщины переливают в розовый жирок на животе, на затылке, на круглых плечах. Сонливая, нежная их усмешка сводит с ума гарнизонных офицеров.

— Мопассан — единственная страсть моей жизни, — сказала мне Раиса.

Стараясь удержать качание больших бедер, она вышла из комнаты и вернулась с переводом «Мисс Гарриэт». В переводе ее не осталось и следа от фразы Мопассана, свободной, текучей, с длинным дыханием страсти. Бендерская писала утомительно правильно, безжизненно и развязно — так, как писали раньше евреи на русском языке.

Я унес рукопись к себе и дома в мансарде Казанцева — среди спящих — всю ночь прорубал просеки в чужом переводе. Работа эта не так дурна, как кажется. Фраза рождается на свет хорошей и дурной в одно и то же время. Тайна заключается в повороте, едва ощутимом. Рычаг должен лежать в руке и обогреваться. Повернуть его надо один раз, а не два.

Наутро я снес выправленную рукопись. Раиса не лгала, когда говорила о своей страсти к Мопассану. Она сидела недвижимо во время чтения, сцепив руки; атласные эти руки текли к земле, лоб ее бледнел, кружевце между отдавленными грудями отклонялось и трепетало.

— Как вы это сделали?

Тогда я заговорил о стиле, об армии слов, об армии, в которой движутся все роды оружия. Никакое железо не может войти в человеческое сердце так леденяще, как точка, поставленная вовремя. Она слушала, склонив голову, приоткрыв крашеные губы. Черный луч сиял в лакированных ее волосах, гладко прижатых и разделенных пробором. Облитые чулком ноги с сильными и нежными икрами расставились по ковру.

Горничная, уводя в сторону окаменевшие распутные глаза, внесла на подносе завтрак.

Стеклянное петербургское солнце ложилось на блеклый неровный ковер. Двадцать девять книг Мопассана стояли над столом на полочке. Солнце тающими пальцами трогало сафьяновые корешки книг — прекрасную могилу человеческого сердца.

Нам подали кофе в синих чашечках, и мы стали переводить «Идиллию». Все помнят рассказ о том, как голодный юноша-плотник отсосал у толстой кормилицы молоко, тяготившее ее. Это случилось в поезде, шедшем из Ниццы в Марсель, в знойный полдень, в стране роз, на родине роз, там, где плантации цветов спускаются к берегу моря…

Я ушел от Бендерских с двадцатью пятью рублями аванса. Наша коммуна на Песках была пьяна в этот вечер, как стадо упившихся гусей. Мы черпали ложкой зернистую икру и заедали ее ливерной колбасой. Захмелев, я стал бранить Толстого.

— Он испугался, ваш граф, он струсил… Его религия — страх… Испугавшись холода, старости, граф сшил себе фуфайку из веры…

— И дальше? — качая птичьей головой, спрашивал меня Казанцев.

Мы заснули рядом с собственными постелями. Мне приснилась Катя, сорокалетняя прачка, жившая под нами. По утрам мы брали у нее кипяток. Я и лица ее толком не успел разглядеть, но во сне мы с Катей Бог знает что делали. Мы измучили друг друга поцелуями. Я не удержался от того, чтобы зайти к ней на следующее утро за кипятком.

Меня встретила увядшая, перекрещенная шалью женщина, с распустившимися пепельно-седыми завитками и отсыревшими руками.

С этих пор я всякое утро завтракал у Бендерских. В нашей мансарде завелась новая печка, селедка, шоколад. Два раза Раиса возила меня на острова. Я не утерпел и рассказал ей о моем детстве. Рассказ вышел мрачным, к собственному моему удивлению. Из-под кротовой шапочки на меня смотрели блестящие испуганные глаза. Рыжий мех ресниц жалобно вздрагивал.

Я познакомился с мужем Раисы — желтолицым евреем с голой головой и плоским сильным телом, косо устремившимся к полету. Ходили слухи о его близости к Распутину. Барыши, получаемые им на военных поставках, придали ему вид одержимого. Глаза его блуждали, ткань действительности порвалась для него. Раиса смущалась, знакомя новых людей со своим мужем. По молодости лет я заметил это на неделю позже, чем следовало.

После Нового года к Раисе приехали из Киева две ее сестры. Я принес как-то рукопись «Признания» и, не застав Раисы, вернулся вечером. В столовой обедали. Оттуда доносилось серебристое кобылье ржанье и гул мужских голосов, неумеренно ликующих. В богатых домах, не имеющих традиций, обедают шумно. Шум был еврейский — с перекатами и певучими окончаниями. Раиса вышла ко мне в бальном платье с голой спиной. Ноги в колеблющихся лаковых туфельках ступали неловко.

— Я пьяна, голубчик. — И она протянула мне руки, унизанные цепями платины и звездами изумрудов.

Тело ее качалось, как тело змеи, встающей под музыку к потолку. Она мотала завитой головой, бренча перстнями, и упала вдруг в кресло с древнерусской резьбой. На пудреной ее спине тлели рубцы.

За стеной еще раз взорвался женский смех. Из столовой вышли сестры с усиками, такие же полногрудые и рослые, как Раиса. Груди их были выставлены вперед, черные волосы развевались. Обе были замужем за своими собственными Бендерскими. Комната наполнилась бессвязным женским весельем, весельем зрелых женщин. Мужья закутали сестер в котиковые манто, в оренбургские платки, заковали их в черные ботики; под снежным забралом платков остались только нарумяненные пылающие щеки, мраморные носы и глаза с семитическим близоруким блеском. Пошумев, они уехали в театр, где давали «Юдифь» с Шаляпиным.

— Я хочу работать, — пролепетала Раиса, протягивая голые руки, — мы упустили целую неделю…

Она принесла из столовой бутылку и два бокала. Грудь ее свободно лежала в шелковом мешке платья; соски выпрямились, шелк накрыл их.

— Заветная, — сказала Раиса, разливая вино, — мускат восемьдесят третьего года. Муж убьет меня, когда узнает…

Я никогда не имел дела с мускатом восемьдесят третьего года и не задумался выпить три бокала один за другим. Они тотчас же увели меня в переулки, где веяло оранжевое пламя и слышалась музыка.

— Я пьяна, голубчик… Что у нас сегодня?

— Сегодня у нас «L'aveu»…

— Итак, «Признание». Солнце — герой этого рассказа, le soleil de France…[1] Расплавленные капли солнца, упав на рыжую Селесту, превратились в веснушки. Солнце отполировало отвесными своими лучами, вином и яблочным сидром рожу кучера Полита. Два раза в неделю Селеста возила в город на продажу сливки, яйца и куриц. Она платила Политу за проезд десять су за себя и четыре су за корзину. И в каждую поездку Полит, подмигивая, справляется у рыжей Селесты: «Когда же мы позабавимся, ma belle?»[2] — «Что это значит, мсье Полит?» Подпрыгивая на козлах, кучер объяснил: «Позабавиться — это значит позабавиться, черт меня побери… Парень с

---

[1] Солнце Франции... (*фр.*).

[2] Красавица (*фр.*).

девкой — музыки не надо...» — «Я не люблю таких шуток, мсье Полит», — ответила Селеста и отодвинула от парня свои юбки, нависшие над могучими икрами в красных чулках.

Но этот дьявол Полит все хохотал, все кашлял, — когда-нибудь мы позабавимся, ma belle, — и веселые слезы катились по его лицу цвета кирпичной крови и вина.

Я выпил еще бокал заветного муската. Раиса чокнулась со мной.

Горничная с окаменевшими глазами прошла по комнате и исчезла.

Ce diable de Polyte...[1] За два года Селеста переплатила ему сорок восемь франков. Это пятьдесят франков без двух. В конце второго года, когда они были одни в дилижансе и Полит, хвативший сидра перед отъездом, спросил по своему обыкновению: «А не позабавиться ли нам сегодня, мамзель Селеста?» — она ответила, потупив глаза: «Я к вашим услугам, мсье Полит...»

Раиса с хохотом упала на стол. Ce diable de Polyte...

Дилижанс был запряжен белой клячей. Белая кляча с розовыми от старости губами пошла шагом. Веселое солнце Франции окружило рыдван, закрытый от мира порыжевшим козырьком. Парень с девкой, музыки им не надо...

Раиса протянула мне бокал. Это был пятый.

— Mon vieux[2], за Мопассана...

— А не позабавиться ли нам сегодня, ma belle...

Я потянулся к Раисе и поцеловал ее в губы. Они задрожали и вспухли.

— Вы забавный, — сквозь зубы пробормотала Раиса и отшатнулась.

Она прижалась к стене, распластав обнаженные руки. На руках и на плечах у нее зажглись пятна. Изо всех Богов, распятых на кресте, это был самый обольстительный.

— Потрудитесь сесть, мсье Полит...

Она указала мне на косое синее кресло, сделанное в славянском стиле. Спинку его составляли сплете-

---

[1] Этот пройдоха Полит... (*фр.*)

[2] Старина (*фр.*).

ния, вырезанные из дерева с расписными хвостами. Я побрел туда, спотыкаясь.

Ночь подложила под голодную мою юность бутылку муската восемьдесят третьего года и двадцать девять книг, двадцать девять петард, начиненных жалостью, гением, страстью... Я вскочил, опрокинул стул, задел полку. Двадцать девять томов обрушились на ковер, страницы их разлетелись, они стали боком... и белая кляча моей судьбы пошла шагом.

— Вы забавный, — прорычала Раиса.

Я ушел из гранитного дома на Мойке в двенадцатом часу, до того, как сестры и муж вернулись из театра. Я был трезв и мог ступать по одной доске, но много лучше было шататься, и я раскачивался из стороны в сторону, распевая на только что выдуманном мною языке. В туннелях улиц, обведенных цепью фонарей, валами ходили пары тумана. Чудовища ревели за кипящими стенами. Мостовые отсекали ноги идущим по ним.

Дома спал Казанцев. Он спал сидя, вытянув тощие ноги в валенках. Канареечный пух поднялся на его голове. Он заснул у печки, склонившись над «Дон-Кихотом» издания 1624 года. На титуле этой книги было посвящение герцогу де Броглио. Я лег неслышно, чтобы не разбудить Казанцева, придвинул к себе лампу и стал читать книгу Эдуарда де Мениаль — «О жизни и творчестве Гюи де Мопассана».

Губы Казанцева шевелились, голова его сваливалась.

И я узнал в эту ночь от Эдуарда де Мениаль, что Мопассан родился в 1850 году от нормандского дворянина и Лауры де Пуатевен, двоюродной сестры Флобера. Двадцати пяти лет он испытал первое нападение наследственного сифилиса. Плодородие и веселье, заключенные в нем, сопротивлялись болезни. Вначале он страдал головными болями и припадками ипохондрии. Потом призрак слепоты стал перед ним. Зрение его слабело. В нем развилась мания подозрительности, нелюдимость и сутяжничество. Он боролся яростно, метался на яхте по Средиземному морю, бежал в Тунис, в Марокко, в Центральную Африку — и писал непрестанно. Достигнув славы, он перерезал себе на сороковом году жизни горло, истек кровью, но остался жив. Его заперли в сумасшедший дом. Он ползал там на четвереньках... Последняя надпись в его скорбном листе гласит:

«Monsieur de Maupassant va s'animaliser» («Господин Мопассан превратился в животное»). Он умер сорока двух лет. Мать пережила его.

Я дочитал книгу до конца и встал с постели. Туман подошел к окну и скрыл вселенную. Сердце мое сжалось. Предвестие истины коснулось меня.

УЛИЦА ДАНТЕ

От пяти до семи гостиница наша «Hôtel Danton»[1] поднималась в воздух от стонов любви. В номерах орудовали мастера. Приехав во Францию с убеждением, что народ ее обессилел, я немало удивился этим трудам. У нас женщину не доводят до такого накала, далеко нет. Мой сосед Жан Бьеналь сказал мне однажды:

— Mon vieux, за тысячу лет нашей истории мы сделали женщину, обед и книгу... В этом никто нам не откажет...

В деле познания Франции Жан Бьеналь, торговец подержанными автомобилями, сделал для меня больше, чем книги, которые я прочитал, и города, которые я видел. Он спросил при первом знакомстве о моем ресторане, о моем кафе, о публичном доме, где я бываю. Ответ ужаснул его.

— On va refaire votre vie...[2]

И мы ее переделали. Обедать мы стали в харчевне скотопромышленников и торговцев вином — против Halles aux vins[3].

Деревенские девки в шлепанцах подавали нам омаров в красном соусе, жаркое из зайца, начиненного чесноком и трюфелями, и вино, которого нельзя было достать в другом месте. Заказывал Бьеналь, платил я, но платил столько, сколько платят французы. Это не было дешево, но это была настоящая цена. И эту же цену я платил в публичном доме, содержи-

---

[1] Отель Дантон (*фр.*).
[2] Нужно переделать вашу жизнь... (*фр.*).
[3] Винный рынок (*фр.*).

мом несколькими сенаторами возле Gare St. Lazare[1]. Бьеналю стоило большего труда представить меня обитательницам этого дома, чем если бы я захотел присутствовать на заседании палаты, когда свергают министерство. Вечер мы кончали у Porte Mailot в кафе, где собираются устроители матчей бокса и автомобильные гонщики. Учитель мой принадлежал к той половине нации, которая торгует автомобилями; другая их обменивает. Он был агентом Рено и торговал больше всего с румынскими дельцами, самыми грязными из дельцов. В свободное время Бьеналь обучал меня искусству купить подержанный автомобиль. Для этого, по его словам, нужно было отправиться на Ривьеру к концу сезона, когда разъезжаются англичане и бросают в гаражах машины, послужившие два или три месяца. Сам Бьеналь разъезжал на облупившемся «рено», которым он управлял, как самоед управляет собаками. По воскресеньям мы отправлялись на прыгающем этом возке за сто двадцать километров в Руан есть утку, которую там жарят в собственной ее крови. Нас сопровождала Жермен, продавщица перчаток в магазине на Rue Royale[2]. Их дни с Бьеналем были среда и воскресенье. Она приходила в пять часов. Через мгновенье в их комнате раздавались ворчание, стук падающих тел, возглас испуга, и потом начиналась нежная агония женщины:

— Oh, Jean…[3]

Я высчитывал про себя: ну, вот вошла Жермен, она закрыла за собой дверь, они поцеловали друг друга, девушка сняла с себя шляпу, перчатки и положила их на стол, и больше, по моему расчету, времени у них не оставалось. Его не оставалось на то, чтобы раздеться. Не произнесши ни одного слова, они прыгали в своих простынях, как зайцы. Постонав, они помирали со смеху и лепетали о своих делах. Я знал об этом все, что может знать сосед, живущий за дощатой перегородкой. У Жермен были несогласия с мосье Анриш, заведующим магазином. Родители ее жили в Туре, она ездила к ним в гости. В одну из суббот она

---

[1] Вокзал Сент-Лазар (*фр.*).

[2] Королевская улица (*фр.*).

[3] О, Жан… (*фр.*).

купила себе меховую горжетку, в другую субботу слушала «Богему» в Гранд-Опера. Мосье Анриш заставлял своих продавщиц носить гладкие костюмы tailleur[1]. Мосье Анриш энглезировал Жермен, она стала в ряды деловых женщин, плоскогрудых, подвижных, завитых, подкрашенных пылающей коричневой краской, но полная щиколотка ее ноги, низкий и быстрый смех, взгляд внимательных и блестящих глаз и этот стон агонии — oh Jean! — все оставлено было для Бьеналя.

В дыму и золоте парижского вечера двигалось перед нами сильное и тонкое тело Жермен; смеясь, она откидывала голову и прижимала к груди розовые ловкие пальцы. Сердце мое согревалось в эти часы. Нет одиночества безвыходнее, чем одиночество в Париже.

Для всех пришедших издалека этот город есть род изгнания, и мне приходило на ум, что Жермен нужна нам больше, чем Бьеналю. С этой мыслью я уехал в Марсель.

Прожив месяц в Марселе, я вернулся в Париж. Я ждал среды, чтобы услышать голос Жермен.

Среда прошла, никто не нарушил молчания за стеной. Бьеналь переменил свой день. Голос женщины раздался в четверг, в пять часов, как всегда. Бьеналь дал своей гостье время на то, чтобы снять шляпу и перчатки. Жермен переменила день, но она переменила и голос. Это не было больше прерывистое, умоляющее oh, Jean… и потом молчание, грозное молчание чужого счастья. Оно заменилось на этот раз домашней хриплой возней, гортанными выкриками. Новая Жермен скрипела зубами, с размаху валилась на диван и в промежутках рассуждала густым протяжным голосом. Она ничего не сказала о мосье Анриш, а прорычав до семи часов, собралась уходить. Я приоткрыл дверь, чтобы встретить ее, и увидел идущую по коридору мулатку с поднятым гребешком лошадиных волос, с выставленной вперед большой, отвислой грудью. Мулатка, шаркая ногами в разносившихся туфлях без каблуков, прошла по коридору. Я постучал к Бьеналю. Он валялся на кровати без пиджака, измятый, посеревший, в застиранных носках.

[1] Английский дамский костюм (*фр.*).

— Mon vieux, вы дали отставку Жермен?..

— Cette femme est folle [1], — ответил он и стал ежиться, — то, что на свете бывает зима и лето, начало и конец, то, что после зимы наступает лето и наоборот, — все это не касается мадемуазель Жермен, все это песни не для нее… Она навьючивает вас ношей и требует, чтобы вы ее несли… куда? Никто этого не знает, кроме мадемуазель Жермен…

Бьеналь сел на кровати, штаны обмялись вокруг жидких его ног, бледная кожа головы просвечивала сквозь слипшиеся волосы, треугольник усов вздрагивал. Макон по четыре франка за литр поправил моего друга. За десертом, он пожал плечами и сказал, отвечая своим мыслям:

— …Кроме вечной любви, на свете есть еще румыны, векселя, банкроты, автомобили с лопнувшими рамами. Oh, j'en ai plein le dos… [2]

Он повеселел в кафе «Де Пари» за рюмкой коньяку. Мы сидели на террасе под белым тентом. Широкие полосы были положены на нем. Перемешавшись с электрическими звездами, по тротуару текла толпа. Против нас остановился автомобиль, вытянутый, как мина. Из него вышел англичанин и женщина в собольей накидке. Она проплыла мимо нас в нагретом облаке духов и меха, нечеловечески длинная, с маленькой фарфоровой светящейся головой. Бьеналь подался вперед, увидев ее, выставил ногу в трепаной штанине и подмигнул, как подмигивают девицам с Rue de la Gaîte [3]. Женщина улыбнулась углом карминного рта, наклонила едва заметно обтянутую розовую голову и, колебля и волоча змеиное тело, исчезла. За ней, потрескивая, прошел негнущийся англичанин.

— Ah, canaille! [4] — сказал им вслед Бьеналь. — Два года назад с нее довольно было аперитива…

Мы расстались с ним поздно. В субботу я назначил себе пойти к Жермен, позвать ее в театр, поехать с ней в Шартр, если она захочет, но мне пришлось увидеть их — Бьеналя и бывшую его подругу —

---

[1] Эта женщина сумасшедшая (*фр.*).

[2] О, у меня достаточно хлопот… (*фр.*)

[3] Улица Веселья (*фр.*).

[4] А, каналья! (*фр.*).

раньше этого срока. На следующий день вечером полицейские заняли входы в отель «Дантон», синие их плащи распахнулись в нашем вестибюле. Меня пропустили, удостоверившись, что я принадлежу к числу жильцов мадам Трюффо, нашей хозяйки. Я нашел жандармов у порога моей комнаты. Дверь из номера Бьеналя была растворена. Он лежал на полу в луже крови, с помутившимися и полузакрытыми глазами. Печать уличной смерти застывала на нем. Он был зарезан, мой друг Бьеналь, и хорошо зарезан. Жермен в костюме tailleur и шапочке, сдавленной по бокам, сидела у стола. Здороваясь со мной, она склонила голову, и с нею вместе склонилось перо на шапочке…

Все это случилось в шесть часов вечера, в час любви; в каждой комнате была женщина. Прежде чем уйти – полуодетые, в чулках до бедер, как пажи, — они торопливо накладывали на себя румяна и черной краской обводили рты. Двери были раскрыты, мужчины в незашнурованных башмаках выстроились в коридоре. В номере у морщинистого итальянца, велосипедиста, плакала на подушке босая девочка. Я спустился вниз, чтобы предупредить мадам Трюффо. Мать этой девочки продавала газеты на улице Сен-Мишель. В конторке собрались уже старухи с нашей улицы, с улицы Данте: зеленщицы и консьержки, торговки каштанами и жареным картофелем, груды зобастого, перекошенного мяса, усатые, тяжело дышавшие, в бельмах и багровых пятнах.

— Voila qui n'est pas gai, — сказал я, входя, — quel malheur! [1]

— C'est l'amour, monsieur… Elle l'aimait…[2]

Под кружевцем вываливались лиловые груди мадам Трюффо, слоновые ноги расставились посреди комнаты, глаза ее сверкали.

— L'amore, — как это сказала за ней синьора Рокка, содержательница ресторана на улице Данте. — Dio cartiga quelli, chi non conoseono l'amore…[3]

Старухи сбились вместе и бормотали все разом. Оспенный пламень зажег их щеки, глаза вышли из орбит.

---

[1] Вот кому невесело. Какой ужас! (*фр.*).

[2] Это любовь, сударь... Она любила его... (*фр.*).

[3] Любовь. Бог наказывает тех, кто не знает любви... (*ит.*).

— L'amour, — наступая на меня, повторила мадам Трюффо, — c'est une grosse affaire, l'amour…[1]

На улице заиграл рожок. Умелые руки поволокли убитого вниз, к больничной карете. Он стал номером, мой друг Бьеналь, и потерял имя в прибое Парижа. Синьора Рокка подошла к окну и увидела труп. Она была беременна, живот грозно выходил из нее, на оттопыренных боках лежал шелк, солнце прошло по желтому, запухшему ее лицу, по желтым мягким волосам.

— Dio, — произнесла синьора Рокка, — tu non perdoni quelli, chi non ama…[2]

На истертую сеть Латинского квартала падала тьма, в уступах его разбегалась низкорослая толпа, горячее чесночное дыхание шло из дворов. Сумерки накрыли дом мадам Трюффо, готический фасад его с двумя окнами, остатки башенок и завитков, окаменевший плющ.

Здесь жил Дантон полтора столетия тому назад. Из своего окна он видел замок Консьержери, мосты, легко переброшенные через Сену, строй слепых домишек, прижатых к реке, то же дыхание восходило к нему. Толкаемые ветром, скрипели ржавые стропила и вывески заезжих дворов.

СУД

Мадам Бляншар, шестидесяти одного года от роду, встретилась в кафе на Boulevard des Italiens[3] с бывшим подполковником Иваном Недачиным. Они полюбили друг друга. В их любви было больше чувственности, чем рассудка. Через три месяца подполковник бежал с акциями и драгоценностями, которые мадам Бляншар поручила ему оценить у ювелира на Rue de la Paix[4].

— Accès de folie passagère[5], — определил врач припадок, случившийся с мадам Бляншар.

---

[1] Любовь… это великое дело, любовь… (*фр.*).
[2] Господи, Ты не прощаешь тем, кто не любит… (*ит.*).
[3] Итальянский бульвар (*фр.*).
[4] Улица Мира (*фр.*).
[5] Припадок временного безумия (*фр.*).

Вернувшись к жизни, старуха повинилась невестке. Невестка заявила в полицию. Недачина арестовали на Монпарнасе в погребке, где пели московские цыгане. В тюрьме Недачин пожелтел и обрюзг. Судили его в четырнадцатой камере уголовного суда. Первым прошло автомобильное дело, затем предстал перед судом шестнадцатилетний Раймонд Лепик, застреливший из ревности любовницу. Мальчика сменил подполковник. Жандармы вытолкнули его на свет, как выталкивали когда-то Урса на арену цирка. В зале суда французы в небрежно сшитых пиджаках громко кричали друг на друга, покорно раскрашенные женщины обмахивали веерами заплаканные лица. Впереди них — на возвышении, под мраморным гербом республики — сидел краснощекий мужчина с галльскими усами, в тоге и в шапочке.

— Eh bien, Nedatchine [1], — сказал он, увидев обвиняемого, — eh bien, mon ami [2]. — И картавая, быстрая речь опрокинулась на вздрогнувшего подполковника.

— Происходя из рода дворян Nedatchine, — звучно говорил председатель, — вы записаны, мой друг, в геральдические книги Тамбовской провинции… Офицер царской армии, вы эмигрировали вместе с Врангелем и сделались полицейским в Загребе… Разногласия по вопросу о границах государственной и частной собственности, — звучно продолжал председатель, то высовывая из-под мантии носок лакированного башмака, то снова втягивая его, — разногласия эти, мой друг, заставили вас расстаться с гостеприимным королевством югославов и обратить взор на Париж… В Париже… — Тут председатель пробежал глазами лежавшую перед ним бумагу. — В Париже, мой друг, экзамен на шофера такси оказался крепостью, которой вы не смогли овладеть… Тогда вы отдали запас неизрасходованных сил отсутствующей в заседании мадам Бляншар…

Чужая речь сыпалась на Недачина как летний дождь. Беспомощный, громадный, с повисшими руками — он возвышался над толпой, как грустное животное другого мира.

---

[1] Итак, Недачин (*фр.*).

[2] Итак, друг мой (*фр.*).

— Voyons [1], — сказал председатель неожиданно, — я вижу со своего места невестку почтенной мадам Бляншар.

Наклонив голову, к свидетельскому столу пробежала жирная женщина без шеи, похожая на рыбу, всунутую в сюртук. Задыхаясь, подымая к небу короткие ручки, она стала перечислять названия акций, похищенных у мадам Бляншар.

— Благодарю вас, мадам, — перебил ее председатель и кивнул сидевшему налево от суда сухощавому человеку с породистым и впалым лицом.

Слегка приподнявшись, прокурор процедил несколько слов и сел, сцепив руки в круглых манжетах. Его сменил адвокат, натурализовавшийся киевский еврей. Он обиженно, словно ссорясь с кем-то, закричал о Голгофе русского офицерства. Невнятно произносимые французские слова крошились, сыпались у него во рту и к концу речи стали похожи на еврейские. Несколько мгновений председатель молча, без выражения смотрел на адвоката и вдруг качнулся вправо — к иссохшему старику в тоге и в шапочке, потом он качнулся в другую сторону к такому же старику, сидевшему слева.

— Десять лет, мой друг, — кротко сказал председатель, кивнув Недачину головой, и схватил на лету брошенное ему секретарем новое дело.

Вытянувшись во фронт, Недачин стоял неподвижно. Бесцветные глазки его мигали, на маленьком лбу выступил пот.

— T'a encaissé dix ans [2], — сказал жандарм за его спиной, — c'est fini, mon vieux [3]. — И, тихонько работая кулаками, жандарм стал подталкивать осужденного к выходу.

---

[1] Ну вот (*фр.*).
[2] Тебе дали десять лет (*фр.*).
[3] Все кончено, старина (*фр.*).

ИИСУСОВ ГРЕХ

МАМА, РИММА И АЛЛА

С самого утра день выдался хлопотливый.

Накануне раскапризничалась и ушла прислуга. Варваре Степановне пришлось все делать самой. Во-вторых, рано утром прислали счет на электричество. В-третьих, квартиранты, братья Растохины, студенты, предъявили совершенно неожиданную претензию. Ночью ими была якобы получена из Калуги телеграмма о том, что отец их болен и необходимо к нему выехать. Поэтому они освобождают комнату и просят возвратить им 60 рублей, выданные Варваре Степановне заимообразно.

Варвара Степановна на это ответила, что странно освобождать комнату в апреле, когда никто ее снимать не станет, и что деньги она затрудняется возвратить, потому что они были даны ей не заимообразно, а в виде платы за помещение, платы, выданной, правда, вперед.

Растохины с Варварой Степановной не согласились. Разговор принял замедленный и недружелюбный характер. Студенты были упрямые и недоумевающие остолопы в длиннополых и чистеньких сюртуках. Им показалось, что плакали их денежки. Старший предложил тогда, чтобы Варвара Степановна заложила у них свой буфет из столовой и трюмо.

Варвара Степановна побагровела и возразила, что она не позволит разговаривать с собой в таком тоне, что предложение растохинское совершеннейшая дичь, что законы она знает, муж ее членом окружного суда на Камчатке и прочее. Младший Растохин, вспылив, ответил, что наплевать им с высокого дерева на то, что муж ее членом окружного суда на Камчатке, что если попадет к ней копейка, то ее уж когтями не выдерешь, что пребывание свое у Варвары Степановны —

весь этот сумбур, грязь, бестолковщину — они никогда не забудут и что окружной суд на Камчатке далеко, а мировой судья на Москве близко…

Так эта беседа и окончилась. Растохины ушли надутые, злобно-тупые, а Варвара Степановна направилась в кухню варить кофе другому своему квартиранту, студенту Станиславу Мархоцкому. Из комнаты его уж несколько минут доносились резкие и длительные звонки.

Варвара Степановна стояла в кухне перед спиртовой машинкой, на толстом носу ее было разъехавшееся от старости никелевое пенсне, седоватые волосы растрепались, утренняя розовая кофта была в пятнах. Она варила кофе и думала, что никогда эти мальчишки не разговаривали бы с ней в таком тоне, если бы не вечный недостаток в деньгах, если бы не эта несчастная необходимость перехватывать, прятаться и хитрить.

Когда кофе и яичница Мархоцкого были готовы, она отнесла завтрак ему в комнату.

Мархоцкий был поляк — высокий, костлявый, беловолосый, с холеными ногтями и длинными ногами. В то утро на нем была домашняя щегольская серая куртка с брандебурами.

Встречена была Варвара Степановна с неудовольствием.

— Мне надоело, — сказал он, — то, что никогда нет прислуги, приходится звонить по часу и опаздывать на лекции…

Прислуги действительно часто не бывало, и звонил Мархоцкий подолгу, но на этот раз причина его неудовольствия была в другом.

Накануне вечером он сидел с Риммой, старшей дочерью Варвары Степановны, на диване в гостиной. Варвара Степановна видела, как они поцеловались раза три и в темноте обнимались. Сидели они до одиннадцати, затем до двенадцати, потом Станислав положил голову на грудь Риммы и заснул. Кто в молодости не дремал в углу дивана на груди случайно встретившейся на жизненном пути гимназисточки? Худа в этом большого нет, последствий часто тоже не бывает, но все же надо считаться с окружающими, с тем, что девочке, может быть, в гимназию на следующее утро надо.

Только в половине второго Варвара Степановна довольно кисло заявила, что пора бы и честь знать. Мархоцкий, исполненный польского гонора, поджал губы и обиделся. Римма метнула на мать негодующий взгляд.

Тем дело и обошлось. Но Станислав, очевидно, и на следующее утро помнил об этом. Варвара Степановна подала ему завтрак, посолила яичницу и вышла.

Было 11 часов утра. Варвара Степановна открыла в комнате дочерей шторы. Легкие, блестящие лучи нежаркого солнца легли на грязноватый пол, на разбросанную повсюду одежду, на запыленную этажерку.

Девушки уже проснулись. Старшая, Римма, была худенькая, маленькая, быстроглазая, черноволосая. Алла была моложе на год — всего семнадцать лет — крупнее сестры, белая, медлительная в движениях, с нежной, рыхловатой кожей, с сладостно-задумчивым выражением голубых глаз.

Когда мать вышла, она заговорила. Полная голая рука ее лежала на одеяле, белые пальчики едва шевелились.

— Я видела сон, Римма, — сказала она. — Представь себе — странный городок, маленький, русский, непонятный… Светло-серое небо стоит очень низко и горизонт совсем близко. Пыль на уличках тоже серая, гладкая, покойная. Все мертво, Римма. Ниоткуда ни звука, нигде ни одного человека. И вот мне кажется, что я иду по незнакомым мне переулочкам, вдоль маленьких, тихих деревянных домиков. То упираюсь в тупички, то выхожу на дорогу, из которой мне видны только десять шагов пути, и все же я иду по ней бесконечно. Впереди меня где-то вьется легкая пыль. Я подхожу ближе и вижу свадебные кареты. В одной из них Михаил с невестой. Невеста в фате, и лицо у нее счастливое. Я иду рядом с каретами, мне кажется, что я выше всех, и сердце у меня побаливает. Потом все замечают меня. Кареты останавливаются. Михаил подходит ко мне, берет меня за руку и медленно уводит в переулок. «Мой друг Алла, — говорит он монотонно, — все грустно, я знаю. Ничего нельзя сделать, потому что я не люблю вас». Я иду рядом с ним, сердце у меня все вздрагивает, и новые серые дорожки открываются перед нами.

Алла замолкла.

— Дурной сон, — прибавила она. — Кто знает? Может быть, потому что худо — все пойдет к лучшему и получится письмо.

— Черта с два, — ответила Римма, — раньше надо было умнее быть и не бегать на свидания. А у меня, знаешь, с мамой сегодня разговор будет… — неожиданно сказала она.

Римма встала, оделась, пошла к окну.

Весна была на Москве. Теплой сыростью блестел длинный, мрачный забор, тянувшийся на противоположной стороне почти во всю длину переулка.

У церкви, в палисаднике, трава была влажная, зеленая. Солнце мягко золотило потускневшие ризы, мелькало по темному лику иконы, поставленной на покосившемся столбике у входа в церковную ограду.

Девушки перешли в столовую. Там сидела Варвара Степановна и много и внимательно ела, поочередно пристально вглядываясь через очки в бисквитики, в кофе, в ветчину. Кофе она пила громкими и короткими глотками, а бисквиты съедала быстро, жадно, точно украдкой.

— Мама, — сурово сказала ей Римма и гордо подняла маленькое личико, — я хочу поговорить с тобой. Не надо вспыхивать. Все будет спокойно и раз навсегда. Я не могу жить с тобой больше. Дай мне свободу.

— Пожалуйста, — спокойно ответила Варвара Степановна, поднимая на Римму бесцветные глаза. — Это за вчерашнее?

— Не за вчерашнее, а по поводу него. Я задыхаюсь здесь.

— Что же ты делать будешь?

— На курсы пойду, изучу стенографию, теперь спрос…

— Теперь стенографистками хоть пруд пруди. Ухватятся за тебя…

— Я не прибегну к тебе, мама, — визгливо проговорила Римма, — я не прибегну к тебе. Дай мне свободу.

— Пожалуйста, — еще раз сказала Варвара Степановна, — я не задерживаю.

— И паспорт дай мне.

— Паспорта я не дам.

Разговор был неожиданно тихий. Теперь Римма почувствовала, что из-за паспорта можно раскричаться.

— Это мне нравится, — саркастически захохотала она, — где же меня пропишут без паспорта?

— Паспорта я не дам.

— Я на содержание пойду, — истерически закричала Римма, — я жандарму отдамся...

— Кто тебя возьмет? — Варвара Степановна критически осмотрела дрожащую фигурку и пылающее лицо дочери. — Не найдет жандарм получше...

— Я на Тверскую пойду, — кричала Римма, — я к старику пойду. Я не хочу жить с ней, с этой дурой, дурой, дурой...

— Ах, вот как ты с матерью разговариваешь, — с достоинством поднялась Варвара Степановна, — в доме нужда, все разваливается, недостаток, я хочу забыться, а ты... Папа это будет знать...

— Я сама напишу на Камчатку, — в исступлении прокричала Римма, — я получу у папки паспорт...

Варвара Степановна вышла. Маленькая и взъерошенная Римма возбужденно шагала по комнате. Отдельные гневные фразы из будущего письма к отцу носились в ее мозгу.

«Милый папка! — напишет она, — у тебя свои дела, я знаю, но я должна все сказать тебе... Оставим на маминой совести утверждение, будто Стасик спал на моей груди. Он спал на вышитой подушечке, но центр тяжести в другом. Мама твоя жена, ты будешь пристрастен, но дома я не могу оставаться, она тяжелый человек... Если хочешь, я приеду к тебе на Камчатку, но паспорт мне нужен, папка...»

Римма шагала, а Алла сидела на диване и смотрела на сестру. Тихие и грустные мысли ложились ей на душу.

«Римма суетится, — думала она, — а я несчастна. Все тяжело, все непонятно...»

Она пошла к себе в комнату и легла. Мимо нее прошла Варвара Степановна в корсете, густо и наивно напудренная, красная, растерянная и жалкая.

— Я вспомнила, — сказала она, — Растохины съезжают сегодня. Надо отдать 60 рублей. Грозятся в суд подать. На шкапчике яйца лежат. Завари себе, а я схожу в ломбард.

Когда часов в шесть вечера Мархоцкий пришел с лекций домой, он застал в передней упакованные чемоданы. Из комнаты Растохиных доносился шум: очевидно, ссорились. Там же, в передней, Варвара Степановна как-то молниеносно и с отчаянной решимостью одолжила у него 10 рублей. Только очутившись в своей комнате, Мархоцкий рассудил, что сделал глупость.

Комната Мархоцкого отличалась от прочих помещений в квартире Варвары Степановны. Она была чисто убрана, уставлена безделушками и увешана коврами. На столах в порядке были разложены принадлежности для черчения, щегольские трубки, английский табак, костяные белые ножи для разрезывания бумаги.

Станислав не успел еще переодеться в свой домашний костюм, когда в комнату тихо вошла Римма. Прием она встретила сухой.

— Ты сердишься, Стасик? — спросила девушка.

— Я не сержусь, — ответил поляк, — я попросил бы только избавить меня от необходимости быть свидетелем эксцессов вашей матери.

— Скоро все кончится, — сказала Римма, — скоро я буду свободна, Стасик…

Она села рядом с ним на диванчик и обняла его.

— Я мужчина, — начал тогда Стасик, — это платоническое прозябание не для меня, у меня карьера впереди…

Он раздраженно говорил те слова, с которыми обычно, в конце концов, обращаются к некоторым женщинам. Говорить с ними не о чем, нежничать с ними скучно, а переходить к существенному они не хотят.

Стасик говорил, что его снедает желание; это мешает ему работать, вселяет беспокойство; надо кончить в ту или иную сторону; каково будет решение — ему почти все равно, лишь бы решение.

— Отчего сейчас же эти слова? — задумчиво промолвила Римма, — отчего сейчас же «я мужчина» и что-то «надо кончить», отчего такое злое и холодное лицо? Неужели нельзя говорить ни о чем другом? Ведь это тяжело, Стасик. На улице весна, так красиво, а мы злимся…

Стасик не ответил. Оба молчали.

У горизонта потухал пламенный закат, заливая алым блеском далекое небо. С другого конца его нависала легкая, медленно густевшая тьма. Комната была озарена последним румяным светом. На диване Римма все нежнее склонялась к студенту. Происходило то, что случалось у них обычно в этот прекраснейший час дня.

Станислав поцеловал девушку. Она положила голову на подушечку и закрыла глаза. Оба воспламенялись. Через несколько минут Станислав целовал ее беспрерывно и в порыве злобной, неутоленной страсти мотал по комнате худенькое и горячее тело. Он порвал ей кофточку и лиф. Римма, с запекшимися губами и с кругами под глазами, подставляла поцелуям свои губы и с искривленной, скорбной гримасой защищала девственность. В одну из этих минут кто-то постучал. Римма заметалась по комнате, прижимая к груди висевшие куски растерзанной кофточки.

Они открыли дверь не скоро. Оказалось, что к Станиславу пришел товарищ. Он проводил плохо скрытым насмешливым взглядом проскользнувшую мимо него Римму. Украдкой она пробралась к себе, переменила кофточку и постояла у холодного оконного стекла, чтобы остыть.

В ломбарде за фамильное серебро Варваре Степановне выдали всего сорок рублей. Десять рублей она одолжила у Мархоцкого, за остальными деньгами пешком бегала к Тихоновым, от Страстного на Покровку. В растерянности упустила даже из виду, что можно было поехать в трамвае.

Дома кроме бушевавших Растохиных ее ждал по делу помощник присяжного поверенного Мирлиц, высокий молодой человек с гнилыми корешками вместо зубов и с влажными серыми глуповатыми глазами.

Несколько времени тому назад Варвара Степановна из-за недостатка денег затеяла заложить по доверенности домик мужа на Коломне. Мирлиц принес текст закладной. Варваре Степановне казалось, что дело обстоит не совсем ладно, что следовало бы посоветоваться с кем-нибудь прежде, чем кончать дело, но слишком много всяких тревог, сказала она себе, выпало на ее долю... Бог с ними со всеми, с квартирантами, с дочерьми, с грубостями.

После делового разговора Мирлиц раскупорил принесенную им с собой бутылку крымского Мускат-Люнеля — он знал слабость Варвары Степановны.

Выпили по стаканчику, готовились к повторению. Голоса зазвенели громче, мясистый нос Варвары Степановны покраснел, кости от корсета выпирали и были все наперечет. Мирлиц рассказывал что-то веселое и заливался. Римма в новой, перемененной кофточке безмолвно сидела в уголке.

После того как выпили Мускат-Люнель, Варвара Степановна и Мирлиц вышли погулять. Варвара Степановна почувствовала, что она чуть-чуть опьянела, ей было стыдно этого и в то же время было все равно, потому что слишком много тягости в жизни, Бог с ней совсем.

Вернулась Варвара Степановна раньше, чем предполагала, потому что не застала Бойко, к которым ходила в гости. Вернувшись, была поражена тишиной, господствовавшей в квартире. Обыкновенно в это время дурачились со студентами, хохотали, бегали. Только из ванной комнаты доносилась возня. Варвара Степановна пошла в кухню, через оконце которой можно было видеть, что делается в ванной…

Она подошла к окошку и увидела необыкновенную, странную картину, увидела вот что:

Печка, в которой нагревают воду, была накалена докрасна. Ванна была наполнена кипящей водой. У печки на коленях стояла Римма. В руках ее были щипцы для завивания волос. Она накаливала их на огне. У ванны стояла Алла, нагая. Длинные косы ее были распущены. Из глаз катились слезы.

— Подойди сюда, — сказала она Римме. — Послушай, может быть, бьется…

Римма приложила голову к ее чуть вздутому, нежному животу.

— Не бьется, — ответила она. — Все равно. Сомневаться нельзя.

— Я умру, — прошептала Алла. — Вода обожжет меня. Я не выдержу. Не надо щипцов. Ты не знаешь, как делается.

— Все так делают, — проговорила Римма. — Не хнычь, Алла. Не рожать же тебе.

Алла собралась уж сесть в ванну, но не успела, потому что в эту минуту прозвучал незабываемый, тихий хрипловатый голос матери:

— Что вы делаете, дети?

Часа через два Алла, укутанная, обласканная и оплаканная, лежала в широкой кровати Варвары Степановны. Она рассказала все. Ей было легко. Она казалась себе маленькой девочкой, у которой было смешное детское горе.

Римма бесшумно, безмолвно двигалась по спальне, убирала, сварила матери чай, заставила ее поужинать, сделала так, чтобы в комнате было чисто. Потом зажгла лампадку, в которую недели две уж забывали влить масла, разделась, стараясь не шуметь, и легла рядом с сестрой.

Варвара Степановна сидела у стола. Ей видна была лампадка, темно-красный ровный пламень ее, тускло озарявший деву Марию. Опьянение, как-то странно и легко, бродило еще в голове. Девочки скоро заснули. У Аллы было белое, большое и спокойное лицо. Римма приникла к ней, вздыхала во сне и вздрагивала.

Около часу ночи Варвара Степановна зажгла свечу, положила перед собой листок бумаги и написала письмо мужу:

«Милый Николай! Сегодня приходил Мирлиц, очень порядочный еврей, а завтра будет господин, который дает деньги за дом. Я думаю, что поступаю, как следует, но становлюсь все беспокойнее, потому что не полагаюсь на себя.

Я знаю — у тебя свои огорчения, служба, и не надо бы об этом писать, но дом наш, Николай, как-то не налаживается. Дети становятся взрослыми, жизнь нынче многого требует — курсы, стенографию, — девочки хотят больше свободы. Нужен отец, накричать, может быть, нужно, но на меня нечего полагаться. Мне все кажется, что это была ошибка — твой отъезд на Камчатку. Будь ты здесь, мы переехали бы в Староколенный, там очень светлая квартирка сдается.

Римма похудела и дурно выглядит. Целый месяц брали в молочной, напротив, сливки, дети очень поправились, но теперь перестали брать. Печень моя то дает себя чувствовать, то не болит. Пиши чаще. После твоих писем я остерегаюсь, не ем селедок, и печень не тревожит. Приезжай, Коля, мы бы отдохнули. Дети кланяются. Целую тебя крепко. Твоя *Варя*».

СКАЗКА ПРО БАБУ

Жила-была баба, Ксенией звали. Грудь толстая, плечи круглые, глаза синие. Вот какая баба была. Кабы нам с вами!

Мужа на войне убили. Три года без мужа прожила, у богатых господ служила. Господа на день три раза горячее требовали. Дровами не топили никак — углем. От углей жар невыносимый, в углях огненные розы тлеют.

Три года баба для господ готовила и честная была с мужчинами. А грудь-то пудовую куда денешь? Вот подите же!

На четвертый год к доктору пошла, говорит:

— В голове у меня тяжко: то огнем полыхает, а то слабну…

А доктор возьми да ответь:

— Нешто у вас на дворе мало парней бегает? Ах ты, баба…

— Не осмелиться мне, — плачет Ксения, — нежная я…

И верно, что нежная. Глаза у Ксении синие с горьковатою слезой.

Старуха Морозиха тут все дело спроворила.

Старуха Морозиха на всю улицу повитуха и знахарка была. Такие до бабьего чрева безжалостные. Им бы паровать, а там хоть трава не расти.

— Я, — грит, — тебя, Ксения, обеспечу. Суха земля потрескалась. Ей Божий дождик надобен. В бабе грибок ходить должен, сырой, вонюченькой.

И привела. Валентин Иванович называется. Неказист, да затейлив — умел песни складывать. Тела никакого, волос длинный, прыщи радугой переливаются. А Ксении бугай, что ли, нужен? Песни складывает и мужчина — лучше во всем мире не найти. Напекла баба блинов со сто, пирог с изюмом. На кровати у Ксении три перины положены, а подушек шесть, все пуховые, — катай, Валя!

Приспел вечер, сбилась компания в комнатенке за кухней, все по стопке выпили. Морозиха шелковый платочек надела, вот ведь какая почтенная. А Валентин бесподобные речи ведет:

— Ах, дружочек мой Ксения, заброшенный я на этом свете человек, замордованный я юноша. Не думайте обо мне как-нибудь легкомысленно. Придет ночь со звездами и с черными веерами, — разве выразишь душу в стихе? Ах, много во мне этой застенчивости…

Слово по слово. Выпили, конечно, водки две бутылки полных, а вина и все три. Много не говорить, а пять рублей на угощение пошло, — не шутка!

Валентин мой румянец получил прямо коричневый и стихи сказывает таково зычно.

Морозиха со стола тогда отодвинулась.

— Я, — говорит, — Ксеньюшка, отнесусь, Господь со мной, — промеж вас любовь будет. Как, — говорит, — вы на лежанку ляжете, ты с него сапоги сними. Мужчины — на них не настираешься…

А хмель-то играет. Валентин себя как за волосы цапнет, крутит их.

— У меня, — говорит, — виденья. Я как выпью — у меня виденья. Вот вижу я — ты, Ксения, мертвая, лицо у тебя омерзительное. А я поп — за твоим гробом хожу и кадилом помахиваю.

И тут он, конечно, голос поднял.

Ну, не больше чем женщина, она-то. Само собой, она уже и кофточку невзначай расстегнула.

— Не кричите, Валентин Иванович, — шепчет баба, — не кричите, хозяева услышат…

Ну, рази остановишь, когда ему горько сделалось?

— Ты меня вполне обидела, — плачет Валентин и качается, — ах, люди-змеи, чего захотели, душу купить захотели… Я, — грит, — хоть и незаконнорожденный, да дворянский сын… видала, кухарка?

— Я вам ласку окажу, Валентин Иванович…

— Пусти.

Встал и дверь распахнул.

— Пусти. В мир пойду.

Ну, куда ему идти, когда он, голубь, пьяненькой. Упал на постелю, обрыгал, извините, простынки и заснул, раб Божий.

А Морозиха уж тут.

— Толку не будет, — говорит, — вынесем.

Вынесли бабы Валентина на улицу и положили его в подворотне. Воротились, а хозяйка ждет уже в чепце и в богатейших кальсонах: кухарке своей замечание сделала.

— Ты по ночам мужчин принимаешь и безобразишь то же самое. Завтра утром получи вид и прочь из моего честного дома. У меня, говорит, дочь-девица в семье…

До синего рассвету плакала баба в сенцах, скулила:

— Бабушка Морозиха, ах, бабушка Морозиха, что ты со мной, с молодой бабой, иcделала? Себя мне стыдно, и как я глаза на Божий свет подыму, и что я в ем, в Божьем свете, увижу?

Плачет баба, жалуется, среди изюмных пирогов сидючи, среди снежных пуховиков, божьих лампад и виноградного вина. И теплые плечи ее колышутся.

— Промашка, — отвечает ей Морозиха, — тут попроще был надобен, нам Митюху бы взять…

А утро завело уже свое хозяйство. Молочницы по домам уже ходят. Голубое утро с изморозью.

ИИСУСОВ ГРЕХ

Жила Арина при номерах на парадной лестнице, а Серега на черной — младшим дворником. Был промежду них стыд. Родила Арина Сереге на прощеное воскресенье двойню. Вода текет, звезда сияет, мужик ярится. Произошла Арина в другой раз в интересное положение, шестой месяц катится, они, бабьи месяцы, катючие. Сереге в солдаты идтить, вот и запятая. Арина возьми и скажи:

— Дожидаться тебя мне, Сергуня, нет расчета. Четыре года мы будем в разлуке, за четыре года мало-мало, а троих рожу. В номерах служить — подол заворотить. Кто прошел — тот господин, хучь еврей, хучь всякий. Придешь ты со службы — утроба у мине утомленная, женщина я буду сношенная, рази я до тебя досягну?

— Диствительно, — качнул головой Серега.

— Женихи при мне сейчас находятся: Трофимыч, подрядчик — большие грубияне, да Исай Абрамыч, старичок, Николо-Святской церкви староста, слабосильный мужчина, — да мне сила ваша злодейская с души воротит, как на духу говорю, замордовали совсем… Рассыплюсь я от сего числа через три месяца, отнесу младенца в воспитательный и пойду за них замуж.

Серега это услыхал, снял с себя ремень, перетянул Арину, геройски по животу норовит.

— Ты, — говорит ему баба, — до брюха не очень клонись, твоя ведь начинка, не чужая...

Было тут бито-колочено, текли тут мужичьи слезы, текла тут бабья кровь, однако ни свету, ни выходу. Пришла тогда баба к Иисусу Христу и говорит:

— Так и так, господи Иисусе. — Я — баба Арина с номерей «Мадрид и Лувр», что на Тверской. В номерах служить — подол заворотить. Кто прошел — тот господин, хучь еврей, хучь всякий. Ходит тут по земле раб Твой, младший дворник Серега. Родила я ему в прошлом годе на прощеное воскресенье двойню...

И все она Господу расписала.

— А ежели Сереге в солдаты вовсе не пойтить? — возомнил тут Спаситель.

— Околоточный небось потащит...

— Околоточный, — поник головою Господь, — Я об ём не подумал... Слышишь, а ежели тебе в чистоте пожить?..

— Четыре-то года? — ответила баба. — Тебя послушать — всем людям разживотиться надо, у Тебя это давняя повадка, а приплод где возьмешь? Ты меня толком облегчи...

Навернулся тут на Господни щеки румянец, задела Его баба за живое, однако смолчал. В ухо себя не поцелуешь, это и Богу ведомо.

— Вот что, раба Божия, славная грешница дева Арина, — возвестил тут Господь во славе Своей, — шаландается у Меня на небесах ангелок, Альфредом звать, совсем от рук отбился, все плачет: что это Вы, Господи, меня на двадцатом году жизни в ангелы произвели, когда я вполне бодрый юноша. Дам Я тебе, угодница, Альфреда-ангела на четыре года в мужья. Он тебе и молитва, он тебе и защита, он тебе и хахаль. А родить от него не токмо что ребенка, а и утенка немыслимо, потому забавы в нем много, а серьезности нет...

— Это мне и надо, — взмолилась дева Арина, — я от их серьезности почитай три раза в два года помираю...

— Будет тебе сладостный отдых, дитя Божие Арина, будет тебе легкая молитва, как песня. Аминь.

На том и порешили. Привели сюда Альфреда. Щуплый парнишка, нежный, за голубыми плечиками два крыла колышутся, играют розовым огнем, как голуби в небесах плещутся. Облапила его Арина, рыдает от умиления, от бабьей душевности.

— Альфредушко, утешеньишко мое, суженый ты мой…

Наказал ей, однако, Господь, что как в постелю ложиться — ангелу крылья сымать надо, они у него на задвижках, вроде как дверные петли, сымать и в чистую простыню на ночь заворачивать, потому — при каком-нибудь метании крыло сломать можно, оно ведь из младенческих вздохов состоит, не более того.

Благословил сей союз Господь в последний раз; призвал к этому делу архиерейский хор, весьма громогласное пение оказали, закуски никакой, а ни-ни, не полагается, и побежала Арина с Альфредом, обнявшись, по шелковой лестничке вниз на землю. Достигли Петровки, — вон ведь куда баба метнула, — купила она Альфреду (он, между прочим, не то что без порток, а совсем натуральный был), купила она ему лаковые полсапожки, триковые брюки в клетку, егерскую фуфайку, жилетку из бархата электрик.

— Остальное, — говорит, — мы, дружочек, дома найдем…

В номерах Арина в тот день не служила, отпросилась. Пришел Серега скандалить, она к нему не вышла, а сказала из-за двери:

— Сергей Нифантьич, я себе сейчас ноги мыю и просю вас без скандалу удалиться…

Ни слова не сказал, ушел. Это уже ангельская сила начала себя оказывать.

А ужин Арина сготовила купецкий, — эх, чертовское в ней было самолюбие. Полштофа водки, вино особо, сельдь дунайская с картошкой, самовар чаю. Альфред как эту земную благодать вкусил, так его и сморило. Арина в момент крылышки ему с петель сняла, упаковала, самого в постелю снесла.

Лежит у нее на пуховой перине, на драной многогрешной постели белоснежное диво, неземное сияние от него исходит, лунные столбы вперемежку с красными ходят по комнате, на лучистых ногах качаются. И плачет Арина и радуется, поет и молится. Выпало тебе, Арина, неслыханное на этой побитой земле, благословенна ты в женах!

Полштофа до дна выпили. Оно и сказалось. Как заснули — она на Альфреда брюхом раскаленным, шестимесячным, Серегиным, возьми и навались. Мало ей с ангелом спать, мало ей того, что никто рядом на стенку не плюет, не храпит, не сопит, мало ей этого, ражей бабе, яростной, — так нет, еще бы пузо греть вспученное и горючее. И задавила она ангела Божия, задавила спьяну да с угару, на радостях, задавила, как младенца недельного, под себя подмяла, и пришел ему смертный конец, и с крыльев, в простыню завороченных, бледные слезы закапали.

А пришел рассвет — деревья гнутся долу. В далеких лесах северных каждая елка попом сделалась, каждая елка преклонила колени.

Снова стоит баба перед престолом Господним, широка в плечах, могуча, на красных руках ее юный труп лежит.

— Воззри, Господи…

Тут Иисусово кроткое сердце не выдержало, проклял он в сердцах женщину:

— Как повелось на земле, так и с тобой поведется, Арина…

— Что ж, Господи, — отвечает ему женщина неслышным голосом, — я ли свое тяжелое тело сделала, я ли водку курила, я ли бабью душу одинокую, глупую выдумала…

— Не желаю я с тобой вожжаться, — восклицает господь Иисус, — задавила ты Мне ангела, ах ты, паскуда…

И кинуло Арину гнойным ветром на землю, на Тверскую улицу, в присужденные ей номера «Мадрид и Лувр». А там уж море по колено. Серега гуляет напоследях, как он есть новобранец. Подрядчик Трофимыч только что из Коломны приехал, увидел Арину, какая она здоровая да краснощекая.

— Ах ты, пузанок, — говорит, и тому подобное.

Исай Абрамыч, старичок, об этом пузанке прослышав, тоже гнусавит.

— Я, — говорит, — не могу с тобой закон иметь после происшедшего, однако тем же порядком полежать могу…

Ему бы в матери сырой земле лежать, а не то что как-нибудь иначе, однако и он в душу поплевал. Все точно с цепи сорвались — кухонные мальчишки, купцы и инородцы. Торговый человек — он играет.

И вот тут сказке конец.

Перед тем как родить, потому что время три месяца отчеканило, вышла Арина на черный двор за дворницкую, подняла свой ужасно громадный живот к шелковым небесам и промолвила бессмысленно:

— Вишь, господи, вот пузо. Барабанят по ем, ровно горох. И что это такое — не пойму. И опять этого, Господи, не желаю…

Слезами омыл Иисус Арину в ответ, на колени стал Спаситель.

— Прости Меня, Аринушка, Бога грешного, и что Я это с тобой иделал…

— Нету Тебе моего прощения, Иисус Христос, — отвечает ему Арина, — нету.

КАК ЭТО ДЕЛАЛОСЬ В ОДЕССЕ

ОДЕССА

Одесса очень скверный город. Это всем известно. Вместо «большая разница» там говорят — «две большие разницы» и еще: «тудою и сюдою». Мне же кажется, что можно много сказать хорошего об этом значительном и очаровательнейшем городе в Российской Империи. Подумайте — город, в котором легко жить, в котором ясно жить. Половину населения его составляют евреи, а евреи — это народ, который несколько очень простых вещей очень хорошо затвердил. Они женятся для того, чтобы не быть одинокими, любят для того, чтобы жить в веках, копят деньги для того, чтобы иметь дома и дарить женам каракулевые жакеты, чадолюбивы потому, что это же очень хорошо и нужно — любить своих детей. Бедных евреев из Одессы очень путают губернаторы и циркуляры, но сбить их с позиции нелегко, очень уж стародавняя позиция. Их и не собьют и многому от них научатся. В значительной степени их усилиями создалась та атмосфера легкости и ясности, которая окружает Одессу.

Одессит — противоположен петроградцу. Становится аксиомой, что одесситы хорошо устраиваются в Петрограде. Они зарабатывают деньги. Потому что они брюнеты — в них влюбляются мягкотелые и блондинистые дамы. И вообще — одессит в Петрограде имеет тенденцию селиться на Каменноостровском проспекте. Скажут, это пахнет анекдотом. Нет-с. Дело касается вещей, лежащих глубже. Просто эти брюнеты приносят с собой немного солнца и легкости.

Кроме джентльменов, приносящих немного солнца и много сардин в оригинальной упаковке, думается мне, что должно прийти, и скоро, плодотворное, животворящее влияние русского юга, русской Одессы, может быть (qui sait? [1]), единственного в России города, где может родиться так нужный нам, наш национальный Мопассан. Я вижу даже маленьких, совсем маленьких змеек, предвещающих грядущее, — одесских певиц (я говорю об Изе Кремер) с небольшим голосом, но с радостью, художественно выраженной радостью в их существе, с задором, легкостью и очаровательным — то грустным, то трогательным — чувством жизни; хорошей, скверной и необыкновенно — quand meme et màlgrè tout [2] — интересной.

Я видел Уточкина, одессита pur sang [3], беззаботного и глубокого, бесстрашного и обдумчивого, изящного и длиннорукого, блестящего и заику. Его заел кокаин или морфий, заел, говорят, после того, как он упал с аэроплана где-то в болотах Новгородской губернии. Бедный Уточкин, он сошел с ума, но мне все же ясно, что скоро настанет время, когда Новгородская губерния пешочком придет в Одессу.

Раньше всего в этом городе есть просто материальные условия для того, например, чтобы взрастить мопассановский талант. Летом в его купальнях блестят на солнце мускулистые бронзовые фигуры юношей, занимающихся спортом, мощные тела рыбаков, не занимающихся спортом, жирные, толстопузые и добродушные телеса «негоциантов», прыщавые и тощие фантазеры, изобретатели и маклера. А поодаль от широкого моря дымят фабрики и делает свое обычное дело Карл Маркс.

В Одессе очень бедное, многочисленное и страдающее еврейское гетто, очень самодовольная буржуазия и очень черносотенная городская дума.

В Одессе сладостные и томительные весенние вечера, пряный аромат акаций и исполненная ровного и неотразимого света луна над темным морем.

В Одессе, по вечерам, на смешных и мещанских дачках, под темным и бархатным небом, лежат на кушетках толстые и смешные буржуа в белых носках и переваривают сытный ужин... За кустами их напудренных, разжиревших от безделья и наивно затяну-

[1] Кто знает? (*фр.*).
[2] Все же и несмотря ни на что (*фр.*).
[3] Чистокровный (*фр.*).

тых жен пламенно тискают темпераментные медики и юристы.

В Одессе «люди воздуха» рыщут вокруг кофеен для того, чтобы заработать целковый и накормить семью, но заработать-то не на чем, да и за что дать заработать бесполезному человеку — «человеку воздуха»?

В Одессе есть порт, а в порту — пароходы, пришедшие из Ньюкастля, Кардифа, Марселя и Порт-Саида; негры, англичане, французы и американцы. Одесса знала времена расцвета, знает времена увядания — поэтичного, чуть-чуть беззаботного и очень беспомощного увядания.

«Одесса, — в конце концов скажет читатель, — такой же город, как и все города, и просто вы неумеренно пристрастны».

Так-то так, и пристрастен я, действительно, и может быть, намеренно, но, parole d'honneur[1], в нем что-то есть. И это что-то подслушает настоящий человек и скажет, что жизнь печальна, однообразна — все это верно, — но все же, quand meme et màlgrè tout[2] необыкновенно, необыкновенно интересна.

От рассуждений об Одессе моя мысль обращается к более глубоким вещам. Если вдуматься, то не окажется ли, что в русской литературе еще не было настоящего радостного, ясного описания солнца?

Тургенев воспел росистое утро, покой ночи. У Достоевского можно почувствовать неровную и серую мостовую, по которой Карамазов идет к трактиру, таинственный и тяжелый туман Петербурга. Серые дороги и покров тумана придушили людей, придушивши — забавно и ужасно исковеркали, породили чад и смрад страстей, заставили метаться в столь обычной человеческой суете. Помните ли вы плодородящее яркое солнце у Гоголя, человека, пришедшего из Украины? Если такие описания есть — то они эпизод. Но не эпизод — Нос, Шинель, Портрет и Записки Сумасшедшего. Петербург победил Полтавщину, Акакий Акакиевич скромненько, но с ужасающей властностью затер Грицко, а отец Матвей кончил дело, начатое Тарасом. Первым человеком, заговорившим в русской книге о солнце, заговорив-

[1] Честное слово (*фр.*).
[2] Все же и несмотря ни на что (*фр.*).

шим восторженно и страстно, — был Горький. Но именно потому, что он говорит восторженно и страстно, это еще не совсем настоящее.

Горький — предтеча и самый сильный в наше время. Но он не певец солнца, а глашатай истины: если о чем-нибудь стоит петь, то знайте: это о солнце. В любви Горького к солнцу есть что-то от головы; только огромным своим талантом преодолевает он это препятствие.

Он любит солнце потому, что на Руси гнило и извилисто, потому что и в Нижнем, и Пскове, и в Казани люди рыхлы, тяжелы, то непонятны, то трогательны, то безмерно и до одури надоедливы. Горький знает — почему он любит солнце, почему его следует любить. В сознательности этой и заключается причина того, что Горький — предтеча, часто великолепный и могучий, но предтеча.

А вот Мопассан, может быть, ничего не знает, а может быть — все знает; громыхает по сожженной зноем дороге дилижанс, сидят в нем, в дилижансе, толстый и лукавый парень Полит и здоровая крестьянская топорная девка. Что они там делают и почему делают — это уж их дело. Небу жарко, земле жарко. С Полита и с девки льет пот, а дилижанс громыхает по сожженной светлым зноем дороге. Вот и все.

В последнее время приохотились писать о том, как живут, любят, убивают и избирают в волостные старшины в Олонецкой, Вологодской или, скажем, в Архангельской губернии. Пишут всё это самым подлинным языком, точка в точку так, как говорят в Олонецкой и Вологодской губерниях. Живут там, оказывается, холодно, дикости много. Старая история. И скоро об этой старой истории надоест читать. Да и уже надоело. И думается мне: потянутся русские люди на юг, к морю и солнцу. Потянутся — это, впрочем, ошибка. Тянутся уже много столетий. В неистребимом стремлении к степям, даже м[ожет] б[ыть] «к кресту на Святой Софии» таятся важнейшие пути для России.

Чувствуют — надо освежить кровь. Становится душно. Литературный Мессия, которого ждут столь долго и столь бесплодно, придет оттуда — из солнечных степей, обтекаемых морем.

КОРОЛЬ

Венчание кончилось, раввин опустился в кресло, потом он вышел из комнаты и увидел столы, поставленные во всю длину двора. Их было так много, что они высовывали свой хвост за ворота на Госпитальную улицу. Перекрытые бархатом столы вились по двору, как змеи, которым на брюхо наложили заплаты всех цветов, и они пели густыми голосами — заплаты из оранжевого и красного бархата.

Квартиры были превращены в кухни. Сквозь закопченные двери било тучное пламя, пьяное и пухлое пламя. В его дымных лучах пеклись старушечьи лица, бабьи тряские подбородки, замусоленные груди. Пот, розовый, как кровь, розовый, как пена бешеной собаки, обтекал эти груды разросшегося, сладко воняющего человечьего мяса. Три кухарки, не считая судомоек, готовили свадебный ужин, и над ними царила восьмидесятилетняя Рейзл, традиционная, как свиток Торы, крохотная и горбатая.

Перед ужином во двор затесался молодой человек, неизвестный гостям. Он спросил Беню Крика. Он отвел Беню Крика в сторону.

— Слушайте, Король, — сказал молодой человек, — я имею вам сказать пару слов. Меня послала тетя Хана с Костецкой...

— Ну хорошо, — ответил Беня Крик, по прозвищу Король, — что это за пара слов?

— В участок вчера приехал новый пристав, велела вам сказать тетя Хана...

— Я знал об этом позавчера, — ответил Беня Крик. — Дальше.

— Пристав собрал участок и сказал участку речь...

— Новая метла чисто метет, — ответил Беня Крик. — Он хочет облаву. Дальше...

— А когда будет облава, вы знаете, Король?

— Она будет завтра.

— Король, она будет сегодня.

— Кто сказал тебе это, мальчик?

— Это сказала тетя Хана. Вы знаете тетю Хану?

— Я знаю тетю Хану. Дальше.

— Пристав собрал участок и сказал им речь. «Мы должны задушить Беню Крика, — сказал он, — потому что там, где есть Государь Император, там нет короля. Сегодня, когда Крик выдает замуж сестру и все они будут там, сегодня нужно сделать облаву…»

— Дальше.

— Тогда шпики начали бояться. Они сказали: если мы сделаем сегодня облаву, когда у него праздник, так Беня рассерчает, и уйдет много крови. Так пристав сказал: самолюбие мне дороже…

— Ну иди, — ответил Король.

— Что сказать тете Хане за облаву?

— Скажи: Беня знает за облаву.

И он ушел, этот молодой человек. За ним последовали человека три из Бениных друзей. Они сказали, что вернутся через полчаса. И они вернулись через полчаса. Вот и все.

За стол садились не по старшинству. Глупая старость жалка не менее, чем трусливая юность. И не по богатству. Подкладка тяжелого кошелька сшита из слез.

За столом на первом месте сидели жених с невестой. Это их день. На втором месте сидел Сендер Эйхбаум, тесть Короля. Это его право. Историю Сендера Эйхбаума следует знать, потому что это не простая история.

Как сделался Беня Крик, налетчик и король налетчиков, зятем Эйхбаума? Как сделался он зятем человека, у которого было шестьдесят дойных коров без одной? Тут все дело в налете. Всего год тому назад Беня написал Эйхбауму письмо.

«Мосье Эйхбаум, — написал он, — *положите, прошу вас, завтра утром под ворота на Софийевскую, 17, двадцать тысяч рублей. Если вы этого не сделаете, так вас ждет такое, что это не слыхано, и вся Одесса будет о вас говорить. С почтением Беня Король».*

Три письма, одно яснее другого, остались без ответа. Тогда Беня принял меры. Они пришли ночью — девять человек с длинными палками в руках. Палки были обмотаны просмоленной паклей. Девять пылающих звезд зажглись на скотном дворе Эйхбаума. Беня отбил замки у сарая и стал выводить коров по одной. Их ждал парень с ножом. Он опрокидывал корову с одного удара и погружал нож в коровье сердце. На земле, залитой кровью, расцвели факелы, как огненные розы, и загремели выстрелы. Выстрелами Беня отгонял работниц, сбежавшихся к коровнику. И вслед за ним и другие налетчики стали стрелять в воздух, потому что если не стрелять в воздух, то можно убить человека. И вот, когда шестая корова с предсмертным мычанием упала к ногам Короля, — тогда во двор в одних кальсонах выбежал Эйхбаум и спросил:

— Что с этого будет, Беня?

— Если у меня не будет денег — у вас не будет коров, мосье Эйхбаум. Это дважды два.

— Зайди в помещение, Беня.

И в помещении они договорились. Зарезанные коровы были поделены ими пополам, Эйхбауму была гарантирована неприкосновенность и выдано в том удостоверение с печатью. Но чудо пришло позже.

Во время налета, в ту грозную ночь, когда мычали подкалываемые коровы и телки скользили в материнской крови, когда факелы плясали, как черные девы, и бабы-молочницы шарахались и визжали под дулами дружелюбных браунингов, — в ту грозную ночь во двор выбежала в вырезной рубашке дочь старика Эйхбаума — Циля. И победа Короля стала его поражением.

Через два дня Беня без предупреждения вернул Эйхбауму все забранные у него деньги и после этого явился вечером с визитом. Он был одет в оранжевый костюм, под его манжеткой сиял бриллиантовый браслет; он вошел в комнату, поздоровался и попросил у Эйхбаума руки его дочери Цили. Старика хватил легкий удар, но он поднялся. В старике было еще жизни лет на двадцать.

— Слушайте, Эйхбаум, — сказал ему Король, — когда вы умрете, я похороню вас на Первом еврейском кладбище, у самых ворот. Я поставлю вам, Эйхбаум, памятник из розового мрамора. Я сделаю вас старостой Бродской синагоги. Я брошу специальность, Эйхбаум, и поступлю в ваше дело компаньоном. У нас будет двести коров, Эйхбаум. Я убью всех молочников, кроме вас. Вор не будет ходить по той улице, на которой вы живете. Я выстрою вам дачу на Шестнадцатой станции… И вспомните, Эйхбаум, вы ведь тоже не были в молодости раввином. Кто подделал завещание, не будем об этом говорить громко?.. И зять у вас будет Король, не сопляк, а Король, Эйхбаум...

И он добился своего, Беня Крик, потому что он был страстен, а страсть владычествует над мирами. Новобрачные прожили три месяца в тучной Бессарабии, среди винограда, обильной пищи и любовного пота. Потом Беня вернулся в Одессу для того, чтобы выдать замуж сорокалетнюю сестру свою Двойру, страдающую базедовой болезнью. И вот теперь, рассказав историю Сендера Эйхбаума, мы можем вернуться на свадьбу Двойры Крик, сестры Короля.

На этой свадьбе к ужину подали индюков, жареных куриц, гусей, фаршированную рыбу и уху, в которой перламутром отсвечивали лимонные озера. Над мертвыми гусиными головками покачивались цветы, как пышные плюмажи. Но разве жареных куриц выносит на берег пенистый прибой одесского моря?

Все благороднейшее из нашей контрабанды, все, чем славна земля из края в край, делало в ту звездную, в ту синюю ночь свое разрушительное, свое обольстительное дело. Нездешнее вино разогревало желудки, сладко переламывало ноги, дурманило мозги и вызывало отрыжку, звучную, как призыв боевой трубы. Черный кок с «Плутарха», прибывшего третьего дня из Порт-Саида, вынес за таможенную черту пузатые бутылки ямайского рома, маслянистую мадеру, сигары с плантаций Пирпонта Моргана и апельсины из окрестностей Иерусалима. Вот что выносит на берег пенистый прибой одесского моря, вот что достается иногда одесским нищим на еврейских свадьбах. Им достался ямайский ром на свадьбе Двойры Крик, и поэтому, насосавшись, как трефные свиньи, еврейские нищие оглушительно стали стучать костылями. Эйхбаум, распустив жилет, сощуренным глазом оглядывал бушующее собрание и любовно икал. Оркестр играл туш. Это было как дивизионный смотр. Туш — ничего, кроме туша. Налетчики, сидевшие сомкнутыми рядами, вначале смущались присутствием посторонних, но потом они разошлись. Лева Кацап разбил на голове своей возлюбленной бутылку водки, Моня Артиллерист выстрелил в воздух. Но пределов своих восторг достиг тогда, когда, по обычаю старины, гости начали одарять новобрачных. Синагогальные шамесы, вскочив на столы, выпевали под звуки бурлящего туша количество подаренных рублей и серебряных ложек. И тут друзья Короля показали, чего стоит голубая кровь и неугасшее еще молдаванское рыцарство. Небрежным движением руки кидали они на серебряные подносы золотые монеты, перстни, коралловые нити.

Аристократы Молдаванки, они были затянуты в малиновые жилеты, их плечи охватывали рыжие пиджаки, а на мясистых ногах лопалась кожа цвета небесной лазури. Выпрямившись во весь рост и выпячивая животы, бандиты хлопали в такт музыки, кричали «горько» и бросали невесте цветы, а она, сорокалетняя Двойра, сестра Бени Крика, сестра Короля, изуродованная болезнью, с разросшимся зобом и вылезающими из орбит глазами, сидела на горé подушек рядом с щуплым мальчиком, купленным на деньги Эйхбаума и онемевшим от тоски.

Обряд дарения подходил к концу, шамесы осипли, и контрабас не ладил со скрипкой. Над двориком протянулся внезапно легкий запах гари.

— Беня, — сказал папаша Крик, старый биндюжник, слывший между биндюжниками грубияном, — Беня, ты знаешь, что мине сдается? Мине сдается, что у нас горит сажа...

— Папаша, — ответил Король пьяному отцу, — пожалуйста, выпивайте и закусывайте, пусть вас не волнует этих глупостей...

И папаша Крик последовал совету сына. Он закусил и выпил. Но облачко дыма становилось все ядовитее. Где-то розовели уже края неба. И уже стрельнул в вышину узкий, как шпага, язык пламени. Гости, привстав, стали обнюхивать воздух, и бабы их взвизгнули. Налетчики переглянулись тогда друг с другом. И только Беня, ничего не замечавший, был безутешен.

— Мине нарушают праздник, — кричал он, полный отчаяния, — дорогие, прошу вас, закусывайте и выпивайте...

Но в это время во дворе появился тот самый молодой человек, который приходил в начале вечера.

— Король, — сказал он, — я имею вам сказать пару слов...

— Ну говори, — ответил Король, — ты всегда имеешь в запасе пару слов...

— Король, — произнес неизвестный молодой человек и захихикал, — это прямо смешно, участок горит, как свечка...

Лавочники онемели. Налетчики усмехнулись. Шестидесятилетняя Манька, родоначальница слободских бандитов, вложив два пальца в рот, свистнула так пронзительно, что ее соседи покачнулись.

— Маня, вы не на работе, — заметил ей Беня, — холоднокровней, Маня...

Молодого человека, принесшего эту поразительную новость, все еще разбирал смех.

— Они вышли с участка человек сорок, — рассказывал он, двигая челюстями, — и пошли на облаву; так они отошли шагов пятнадцать, как уже загорелось... Побежите смотреть, если хотите...

Но Беня запретил гостям идти смотреть на пожар. Отправился он с двумя товарищами. Участок исправно пылал с четырех сторон. Городовые, тряся задами, бегали по задымленным лестницам и выкидывали из окон сундучки. Под шумок разбегались арестованные. Пожарные были исполнены рвения, но в близлежащем кране не оказалось воды. Пристав — та самая метла, что чисто метет, — стоял на противоположном тротуаре и покусывал усы, лезшие ему в рот. Новая метла стояла без движения. Беня, проходя мимо пристава, отдал ему честь по-военному.

— Доброго здоровьичка, ваше высокоблагородие, — сказал он сочувственно. — Что вы скажете на это несчастье? Это же кошмар...

Он уставился на горящее здание, покачал головой и почмокал губами:

— Ай-ай-ай...

. . . .

А когда Беня вернулся домой — во дворе потухали уже фонарики и на небе занималась заря. Гости разошлись, и музыканты дремали, опустив головы на ручки своих контрабасов. Одна только Двойра не собиралась спать. Обеими руками она подталкивала оробевшего мужа к дверям их брачной комнаты и смотрела на него плотоядно, как кошка, которая, держа мышь во рту, легонько пробует ее зубами.

Начал я.

— Реб Арье-Лейб, — сказал я старику, — поговорим о Бене Крике. Поговорим о молниеносном его начале и ужасном конце. Три тени загромождают пути моего воображения. Вот Фроим Грач. Сталь его поступков — разве не выдержит она сравнения с силой Короля? Вот Колька Паковский. Бешенство этого человека содержало в себе все, что нужно для того, чтобы властвовать. И неужели Хаим Дронг не сумел различить блеск новой звезды? Но почему же один Беня Крик взошел на вершину веревочной лестницы, а все остальные повисли внизу, на шатких ступенях?

Реб Арье-Лейб молчал, сидя на кладбищенской стене. Перед нами расстилалось зеленое спокойствие могил. Человек, жаждущий ответа, должен запастись терпением. Человеку, обладающему знанием, приличествует важность. Поэтому Арье-Лейб молчал, сидя на кладбищенской стене. Наконец он сказал:

— Почему он? Почему не они, хотите вы знать? Так вот — забудьте на время, что на носу у вас очки, а в душе осень. Перестаньте скандалить за вашим письменным столом и заикаться на людях. Представьте себе на мгновенье, что вы скандалите на площадях и заикаетесь на бумаге. Вы тигр, вы лев, вы кошка. Вы можете переночевать с русской женщиной, и русская женщина останется вами довольна. Вам двадцать пять лет. Если бы к небу и к земле были приделаны кольца, вы схватили бы эти кольца и притянули бы небо к земле. А папаша у вас биндюжник Мендель Крик. Об чем думает такой папаша? Он думает об выпить хорошую стопку водки, об дать кому-нибудь по морде, об своих конях — и ничего больше. Вы хотите жить, а он заставляет вас умирать двадцать раз на день. Что сделали бы вы на месте Бени Крика? Вы ничего бы не сделали. А он сделал. Поэтому он Король, а вы держите фигу в кармане.

Он — Бенчик — пошел к Фроиму Грачу, который тогда уже смотрел на мир одним только глазом и был тем, что он есть. Он сказал Фроиму:

— Возьми меня. Я хочу прибиться к твоему берегу. Тот берег, к которому я прибьюсь, будет в выигрыше.

Грач спросил его:

— Кто ты, откуда ты идешь и чем ты дышишь?

— Попробуй меня, Фроим, — ответил Беня, — и перестанем размазывать белую кашу по чистому столу.

— Перестанем размазывать кашу, — ответил Грач, — я тебя попробую.

И налетчики собрали совет, чтобы подумать о Бене Крике. Я не был на этом совете. Но говорят, что они собрали совет. Старшим был тогда покойный Левка Бык.

— Что у него делается под шапкой, у этого Бенчика? — спросил покойный Бык.

И одноглазый Грач сказал свое мнение:

— Беня говорит мало, но он говорит смачно. Он говорит мало, но хочется, чтобы он сказал еще что-нибудь.

— Если так, — воскликнул покойный Левка, — тогда попробуем его на Тартаковском.

— Попробуем его на Тартаковском, — решил совет, и все, в ком еще квартировала совесть, покраснели, услышав это решение. Почему они покраснели? Вы узнаете об этом, если пойдете туда, куда я вас поведу.

Тартаковского называли у нас «полтора жида» или «девять налетов». «Полтора жида» называли его потому, что ни один еврей не мог вместить в себе столько дерзости и денег, сколько было у Тартаковского. Ростом он был выше самого высокого городового в Одессе, а весу имел больше, чем самая толстая еврейка. А «девятью налетами» прозвали Тартаковского потому, что фирма Левка Бык и компания произвели на его контору не восемь и не десять налетов, а именно девять. На долю Бени, который еще не был тогда Королем, выпала честь совершить на «полтора жида» десятый налет. Когда Фроим передал ему об этом, он сказал «да» и вышел, хлопнув дверью. Почему он хлопнул дверью? Вы узнаете об этом, если пойдете туда, куда я вас поведу.

У Тартаковского душа убийцы, но он наш. Он вышел из нас. Он наша кровь. Он наша плоть, как будто одна мама нас родила. Пол-Одессы служит в его лавках. И он пострадал через своих же молдаванских. Два раза они выкрадывали его для выкупа, и однажды во время погрома его хоронили с певчими. Слободские громилы били тогда евреев на Большой Арнаутской.

Тартаковский убежал от них и встретил похоронную процессию с певчими на Софийской. Он спросил:

— Кого это хоронят с певчими?

Прохожие ответили, что это хоронят Тартаковского. Процессия дошла до Слободского кладбища. Тогда наши вынули из гроба пулемет и начали сыпать по слободским громилам. Но «полтора жида» этого не предвидел. «Полтора жида» испугался до смерти. И какой хозяин не испугался бы на его месте?

Десятый налет на человека, уже похороненного однажды, это был грубый поступок. Беня, который еще не был тогда Королем, понимал это лучше всякого другого. Но он сказал Грачу «да» и в тот же день написал Тартаковскому письмо, похожее на все письма в этом роде:

«Многоуважаемый Рувим Осипович! Будьте настолько любезны положить к субботе под бочку с дождевой водой... и так далее. В случае отказа, как вы это себе в последнее время стали позволять, вас ждет большое разочарование в вашей семейной жизни. С почтением знакомый вам

Бенцион Крик».

Тартаковский не поленился и ответил без промедления.

«Беня! Если бы ты был идиот, то я бы написал тебе как идиоту. Но я тебя за такого не знаю, и упаси Боже тебя за такого знать. Ты, видно, представляешься мальчиком. Неужели ты не знаешь, что в этом году в Аргентине такой урожай, что хоть завались, и мы сидим с нашей пшеницей без почина?.. И скажу тебе, положа руку на сердце, что мне надоело на старости лет кушать такой горький кусок хлеба и переживать эти неприятности, после того как я отработал всю жизнь, как последний ломовик. И что же я имею после этих бессрочных каторжных работ? Язвы, болячки, хлопоты и бессонницу. Брось этих глупостей, Беня. Твой друг, гораздо больше, чем ты это предполагаешь, — Рувим Тартаковский».

«Полтора жида» сделал свое. Он написал письмо. Но почта не доставила письмо по адресу. Не получив ответа, Беня рассерчал. На следующий день он явился с четырьмя друзьями в контору Тартаковского. Четыре юноши в масках и с револьверами ввалились в комнату.

— Руки вверх! — сказали они и стали махать пистолетами.

— Работай спокойнее, Соломон, — заметил Беня одному из тех, кто кричал громче других, — не имей эту привычку быть нервным на работе, — и, оборотившись к приказчику, белому, как смерть, и желтому, как глина, он спросил его:

— «Полтора жида» в заводе?

— Их нет в заводе, — ответил приказчик, фамилия которого была Мугинштейн, а по имени он звался Иосиф и был холостым сыном тети Песи, куриной торговки с Серединской площади.

— Кто будет здесь наконец за хозяина? — стали допрашивать несчастного Мугинштейна.

— Я здесь буду за хозяина, — сказал приказчик, зеленый, как зеленая трава.

— Тогда отчини нам, с Божьей помощью, кассу! — приказал ему Беня, и началась опера в трех действиях.

Нервный Соломон складывал в чемодан деньги, бумаги, часы и монограммы; покойник Иосиф стоял перед ним с поднятыми руками, и в это время Беня рассказывал истории из жизни еврейского народа.

— Коль раз он разыгрывает из себя Ротшильда, — говорил Беня о Тартаковском, — так пусть он горит огнем. Объясни мне, Мугинштейн, как другу: вот получает он от меня деловое письмо; отчего бы ему не сесть за пять копеек на трамвай и не подъехать ко мне на квартиру и не выпить с моей семьей стопку водки и закусить чем Бог послал? Что мешало ему выговорить передо мной душу? «Беня, — пусть бы он сказал, — так и так, вот тебе мой баланс, повремени мне пару дней, дай вздохнуть, дай мне развести руками». Что бы я ему ответил? Свинья со свиньей не встречается, а человек с человеком встречается. Мугинштейн, ты меня понял?

— Я вас понял, — сказал Мугинштейн и солгал, потому что совсем ему не было понятно, зачем «полтора жида», почтенный богач и первый человек, должен был ехать на трамвае закусывать с семьей биндюжника Менделя Крика.

А тем временем несчастье шлялось под окнами, как нищий на заре. Несчастье с шумом ворвалось в контору. И хотя на этот раз оно приняло образ еврея Савки Буциса, но оно было пьяно, как водовоз.

— Го-гу-го, — закричал еврей Савка, — прости меня, Бенчик, я опоздал, — и он затопал ногами и стал махать руками. Потом он выстрелил, и пуля попала Мугинштейну в живот.

Нужны ли тут слова? Был человек, и нет человека. Жил себе невинный холостяк, как птица на ветке, — и вот он погиб через глупость. Пришел еврей, похожий на матроса, и выстрелил не в какую-нибудь бутылку с сюрпризом, а в живого человека. Нужны ли тут слова?

— Тикать с конторы! — крикнул Беня и побежал последним. Но, уходя, он успел сказать Буцису:

— Клянусь гробом моей матери, Савка, ты ляжешь рядом с ним...

Теперь скажите мне вы, молодой господин, режущий купоны на чужих акциях, как поступили бы вы на месте Бени Крика? Вы не знаете, как поступить. А он знал. Поэтому он Король, а мы с вами сидим на стене Второго еврейского кладбища и отгораживаемся от солнца ладонями.

Несчастный сын тети Песи умер не сразу. Через час после того, как его доставили в больницу, туда явился Беня. Он велел вызвать к себе старшего врача и сиделку и сказал им, не вынимая рук из кремовых штанов.

— Я имею интерес, — сказал он, — чтобы больной Иосиф Мугинштейн выздоровел. Представляюсь на всякий случай — Бенцион Крик. Камфору, воздушные подушки, отдельную комнату — давать с открытой душой. Если нет, то на всякого доктора, будь он даже доктором философии, приходится не более трех аршин земли.

И все же Мугинштейн умер в ту же ночь. И тогда только «полтора жида» поднял крик на всю Одессу.

— Где начинается полиция, — вопил он, — и где кончается Беня?

— Полиция кончается там, где начинается Беня, — отвечали резонные люди, но Тартаковский не успокаивался, и он дождался того, что красный автомобиль с музыкальным ящиком проиграл на Серединской площади свой первый марш из оперы «Смейся, паяц». Среди бела дня машина подлетела к домику, в котором жила тетя Песя.

Автомобиль гремел колесами, плевался дымом, сиял медью, вонял бензином и играл арии на своем сигнальном рожке. Из автомобиля выскочил некто и прошел в кухню, где на земляном полу билась маленькая тетя Песя

.«Полтора жида» сидел на стуле и махал руками.

— Хулиганская морда, — прокричал он, увидя гостя, — бандит, чтобы земля тебя выбросила! Хорошую моду себе взял — убивать живых людей…

— Мосье Тартаковский, — ответил ему Беня Крик тихим голосом, — вот идут вторые сутки, как я плачу за дорогим покойником, как за родным братом. Но я знаю, что вы плевать хотели на мои молодые слезы. Стыд, мосье Тартаковский, — в какой несгораемый шкаф упрятали вы стыд? Вы имели сердце послать матери нашего покойного Иосифа сто жалких карбованцев. Мозг вместе с волосами поднялся у меня дыбом, когда я услышал эту новость.

Тут Беня сделал паузу. На нем был шоколадный пиджак, кремовые штаны и малиновые штиблеты.

— Десять тысяч единовременно, — заревел он, — десять тысяч единовременно и пенсию до ее смерти, пусть она живет сто двадцать лет. А если нет, тогда выйдем из этого помещения, мосье Тартаковский, и сядем в мой автомобиль…

Потом они бранились друг с другом. «Полтора жида» бранился с Беней. Я не был при этой ссоре. Но те, кто были, те помнят. Они сошлись на пяти тысячах наличными и пятидесяти рублях ежемесячно.

— Тетя Песя, — сказал тогда Беня всклокоченной старушке, валявшейся на полу, — если вам нужна моя жизнь, вы можете получить ее, но ошибаются все, даже Бог. Вышла громадная ошибка, тетя Песя. Но разве со стороны Бога не было ошибкой поселить евреев в России, чтобы они мучились, как в аду? И чем было бы плохо, если бы евреи жили в Швейцарии, где их окружали бы первоклассные озера, гористый воздух и сплошные французы? Ошибаются все, даже Бог. Слушайте меня ушами, тетя Песя. Вы имеете пять тысяч на руки и пятьдесят рублей в месяц до вашей смерти, — живите сто двадцать лет. Похороны Иосифа будут по первому разряду: шесть лошадей, как шесть львов, две колесницы с венками, хор из Бродской синагоги, сам Миньковский придет отпевать покойного вашего сына…

И похороны состоялись на следующее утро. О похоронах этих спросите у кладбищенских нищих. Спросите о них у шамесов из синагоги, торговцев кошерной птицей или у старух из Второй богадельни. Таких похорон Одесса еще не видала, а мир не увидит. Городовые в этот день одели нитяные перчатки. В синагогах, увитых зеленью и открытых настежь, горело электричество. На белых лошадях, запряженных в колесницу, качались черные плюмажи. Шестьдесят певчих шли впереди процессии. Певчие были мальчиками, но они пели женскими голосами. Старосты синагоги торговцев кошерной птицей вели тетю Песю под руки. За старостами шли члены Общества приказчиков-евреев, а за приказчиками-евреями — присяжные поверенные, доктора медицины и акушерки-фельдшерицы. С одного бока тети Песи находились куриные торговки со Старого базара, а с другого бока находились почетные молочницы с Бугаевки, завороченные в оранжевые шали. Они топали ногами, как жандармы на параде в табельный день. От их широких бедер шел запах моря и молока. И позади всех плелись служащие Рувима Тартаковского. Их было сто человек, или двести, или две тысячи. На них были черные сюртуки с шелковыми лацканами и новые сапоги, которые скрипели, как поросята в мешке.

И вот я буду говорить, как говорил Господь на горе Синайской из горящего куста. Кладите себе в уши мои слова. Все, что я видел, я видел своими глазами, сидя здесь, на стене Второго кладбища, рядом с шепелявым Мойсейкой и Шимшоном из погребальной конторы. Видел это я, Арье-Лейб, гордый еврей, живущий при покойниках.

Колесница подъехала к кладбищенской синагоге. Гроб поставили на ступени. Тетя Песя дрожала, как птичка. Кантор вылез из фаэтона и начал панихиду. Шестьдесят певчих вторили ему. И в эту минуту красный автомобиль вылетел из-за поворота. Он проиграл «Смейся, паяц» и остановился. Люди молчали как убитые. Молчали деревья, певчие, нищие. Четыре человека вылезли из-под красной крыши и тихим шагом поднесли к колеснице венок из невиданных роз. А когда панихида кончилась, четыре человека подвели под гроб свои стальные плечи, с горящими глазами и выпяченной грудью зашагали вместе с членами Общества приказчиков-евреев.

Впереди шел Беня Крик, которого тогда никто еще не называл Королем. Первым приблизился он к могиле, взошел на холмик и простер руку.

— Что хотите вы делать, молодой человек? — подбежал к нему Кофман из погребального братства.

— Я хочу сказать речь, — ответил Беня Крик.

И он сказал речь. Ее слышали все, кто хотел слушать. Ее слышал я, Арье-Лейб, и шепелявый Мойсейка, который сидел на стене со мною рядом.

— Господа и дамы, — сказал Беня Крик, — господа и дамы, — сказал он, и солнце встало над его головой, как часовой с ружьем. — Вы пришли отдать последний долг честному труженику, который погиб за медный грош. От своего имени и от имени всех, кто здесь не присутствует, благодарю вас. Господа и дамы! Что видел наш дорогой Иосиф в своей жизни? Он видел пару пустяков. Чем занимался он? Он пересчитывал чужие деньги. За что погиб он? Он погиб за весь трудящийся класс. Есть люди, уже обреченные смерти, и есть люди, еще не начавшие жить. И вот пуля, летевшая в обреченную грудь, пробивает Иосифа, не видевшего в своей жизни ничего, кроме пары пустяков. Есть люди, умеющие пить водку, и есть люди, не умеющие пить водку, но все же пьющие ее. И вот первые получают удовольствие от горя и от радости, а вторые страдают за всех тех, кто пьет водку, не умея пить ее. Поэтому, господа и дамы, после того как мы помолимся за нашего бедного Иосифа, я прошу вас проводить к могиле неизвестного вам, но уже покойного Савелия Буциса...

И, сказав эту речь, Беня Крик сошел с холмика. Молчали люди, деревья и кладбищенские нищие. Два могильщика пронесли некрашеный гроб к соседней могиле. Кантор, заикаясь, окончил молитву. Беня бросил первую лопату и перешел к Савке. За ним пошли, как овцы, все присяжные поверенные и дамы с брошками. Он заставил кантора пропеть над Савкой полную панихиду, и шестьдесят певчих вторили кантору. Савке не снилась такая панихида — поверьте слову Арье-Лейба, старого старика.

Говорят, что в тот день «полтора жида» решил закрыть дело. Я при этом не был. Но то, что ни кантор, ни хор, ни погребальное братство не просили денег за похороны, — это видел я глазами Арье-Лейба. Арье-Лейб — так зовут меня. И больше я ничего не мог видеть, потому что люди, тихонько отойдя от Савкиной могилы, бросились бежать, как с пожара. Они летели в фаэтонах, в телегах и пешком. И только те четыре, что приехали на красном автомобиле, на нем же и уехали. Музыкальный ящик проиграл свой марш, машина вздрогнула и умчалась.

— Король, — глядя ей вслед, сказал шепелявый Мойсейка, тот самый, что забирает у меня лучшие места на стенке.

Теперь вы знаете все. Вы знаете, кто первый произнес слово «король». Это был Мойсейка. Вы знаете, почему он не назвал так ни одноглазого Грача, ни бешеного Кольку. Вы знаете все. Но что пользы, если на носу у вас по-прежнему очки, а в душе осень?..

ОТЕЦ

Фроим Грач был женат когда-то. Это было давно, с того времени прошло двадцать лет. Жена родила тогда Фроиму дочку и умерла от родов. Девочку назвали Басей. Ее бабушка по матери жила в Тульчине. Старуха не любила своего зятя. Она говорила о нем: Фроим по занятию ломовой извозчик, и у него есть вороные лошади, но душа Фроима чернее, чем вороная масть его лошадей...

Старуха не любила зятя и взяла новорожденную к себе. Она прожила с девочкой двадцать лет и потом умерла. Тогда Баська вернулась к своему отцу. Это все случилось так.

В среду, пятого числа, Фроим Грач возил в порт на пароход «Каледония» пшеницу из складов общества Дрейфус. К вечеру он кончил работу и поехал домой. На повороте с Прохоровской улицы ему встретился кузнец Иван Пятирубель.

— Почтение, Грач, — сказал Иван Пятирубель, — какая-то женщина колотится до твоего помещения...

Грач проехал дальше и увидел на своем дворе женщину исполинского роста. У нее были громадные бока и щеки кирпичного цвета.

— Папаша, — сказала женщина оглушительным басом, — меня уже черти хватают со скуки. Я жду вас целый день... Знайте, что бабушка умерла в Тульчине.

Грач стоял на биндюге и смотрел на дочь во все глаза.

— Не крутись перед конями, — закричал он в отчаянии, — бери уздечку у коренника, ты мне коней побить хочешь...

Грач стоял на возу и размахивал кнутом. Баська взяла коренника за уздечку и подвела лошадей к конюшне. Она распрягла их и пошла хлопотать на кухню. Девушка повесила на веревку отцовские портянки, она вытерла песком закопченный чайник и стала разогревать зразу в чугунном котелке.

— У вас невыносимый грязь, папаша, — сказала она и выбросила за окно прокисшие овчины, валявшиеся на полу, — но я выведу этот грязь! — прокричала Баська и подала отцу ужинать.

Старик выпил водки из эмалированного чайника и съел зразу, пахнущую, как счастливое детство. Потом он взял кнут и вышел за ворота. Туда пришла и Баська вслед за ним. Она одела мужские штиблеты и оранжевое платье, она одела шляпу, обвешанную птицами, и уселась на лавочке. Вечер шатался мимо лавочки, сияющий глаз заката падал в море за Пересыпью, и небо было красно, как красное число в календаре. Вся торговля прикрылась уже на Дальницкой, и налетчики проехали на глухую улицу к публичному дому Иоськи Самуэльсона. Они ехали в лаковых экипажах, разодетые, как птицы колибри, в цветных пиджаках. Глаза их были выпучены, одна нога отставлена к подножке, и в стальной протянутой руке они держали букеты, завороченные в папиросную бумагу. Отлакированные их пролетки двигались шагом, в каждом экипаже сидел один человек с букетом, и кучера, торчавшие на высоких сиденьях, были украшены бантами, как шафера на свадьбах. Старые еврейки в наколках лениво следили течение привычной этой процессии — они были ко всему равнодушны, старые еврейки, и только сыновья лавочников и корабельных мастеров завидовали королям Молдаванки.

Соломончик Каплун, сын бакалейщика, и Моня Артиллерист, сын контрабандиста, были в числе тех, кто пытался отвести глаза от блеска чужой удачи. Оба они прошли мимо нее, раскачиваясь, как девушки, узнавшие любовь, они пошептались между собой и стали двигать руками, показывая, как бы они обнимали Баську, если б она этого захотела. И вот Баська тотчас же этого захотела, потому что она была простая девушка из Тульчина, из своекорыстного подслеповатого городишки. В ней было весу пять пудов и еще несколько фунтов, всю жизнь прожила она с ехидной порослью подольских маклеров, странствующих книгонош, лесных подрядчиков и никогда не видела таких людей, как Соломончик Каплун. Поэтому, увидев его, она стала шаркать по земле толстыми ногами, обутыми в мужские штиблеты, и сказала отцу.

— Папаша, — сказала она громовым голосом, — посмотрите на этого господинчика: у него ножки, как у куколки, я задушила бы такие ножки…

— Эге, пани Грач, — прошептал тогда старый еврей, сидевший рядом, старый еврей, по фамилии Голубчик, — я вижу, дите ваше просится на травку…

— Вот морока на мою голову, — ответил Фроим Голубчику, поиграл кнутом и пошел к себе спать и заснул спокойно, потому что не поверил старику. Он не поверил старику и оказался кругом неправ. Прав был Голубчик. Голубчик занимался сватовством на нашей улице, по ночам он читал молитвы над зажиточными покойниками и знал о жизни все, что можно о ней знать. Фроим Грач был неправ. Прав был Голубчик.

И действительно, с этого дня Баська все свои вечера проводила за воротами. Она сидела на лавочке и шила себе приданое. Беременные женщины сидели с ней рядом; груды холста ползли по ее раскоряченным могущественным коленям; беременные бабы наливались всякой всячиной, как коровье вымя наливается на пастбище розовым молоком весны, и в это время мужья их, один за другим, приходили с работы. Мужья бранчливых жен отжимали под водопроводным краном всклокоченные свои бороды и уступали потом место горбатым старухам. Старухи купали в корытах жирных младенцев, они шлепали внуков по сияющим ягодицам и заворачивали их в поношенные свои юбки. И вот Баська из Тульчина увидела жизнь Молдаванки, щедрой нашей матери, — жизнь, набитую сосущими младенцами, сохнущим тряпьем и брачными ночами, полными пригородного шику и солдатской неутомимости. Девушка захотела и себе такой же жизни, но она узнала тут, что дочь одноглазого Грача не может рассчитывать на достойную партию. Тогда она перестала называть отца отцом.

— Рыжий вор, — кричала она ему по вечерам, — рыжий вор, идите вечерять...

И это продолжалось до тех пор, пока Баська не сшила себе шесть ночных рубашек и шесть пар панталон с кружевными оборками. Кончив подшивку кружев, она заплакала тонким голосом, непохожим на ее голос, и сказала сквозь слезы непоколебимому Грачу.

— Каждая девушка, — сказала она ему, — имеет свой интерес в жизни, и только одна я живу как ночной сторож при чужом складе. Или сделайте со мной что-нибудь, папаша, или я делаю конец моей жизни...

Грач выслушал до конца свою дочь, он одел парусовую бурку и на следующий день отправился в гости к бакалейщику Каплуну на Привозную площадь.

Над лавкой Каплуна блестела золотая вывеска. Это была первая лавка на Привозной площади. В ней пахло многими морями и прекрасными жизнями, неизвестными нам. Мальчик поливал из лейки прохладную глубину магазина и пел песню, которую прилично петь только взрослым. Соломончик, хозяйский сын, стоял за стойкой; на стойке этой были поставлены маслины, пришедшие из Греции, марсельское масло, кофе в зернах, лиссабонская малага, сардины фирмы «Филипп и Кано» и кайенский перец. Сам Каплун сидел в жилетке на солнцепеке, в стеклянной пристроечке, и ел арбуз — красный арбуз с черными косточками, с косыми косточками, как глаза лукавых китаянок. Живот Каплуна лежал на столе под солнцем, и солнце ничего не могло с ним поделать. Но потом бакалейщик увидел Грача в парусиновой бурке и побледнел.

— Добрый день, мосье Грач, — сказал он и отодвинулся. — Голубчик предупредил меня, что вы будете, и я приготовил для вас фунтик чаю, что это — редкость...

И он заговорил о новом сорте чая, привезенном в Одессу на голландских пароходах. Грач слушал его терпеливо, но потом прервал, потому что он был простой человек, без хитростей.

— Я простой человек, без хитростей, — сказал Фроим, — я нахожусь при моих конях и занимаюсь моим занятием. Я даю новое белье за Баськой и пару старых грошей, и я сам есть за Баськой, — кому этого мало, пусть тот горит огнем...

— Зачем нам гореть? — ответил Каплун скороговоркой и погладил руку ломового извозчика. — Не надо такие слова, мосье Грач, ведь вы же у нас человек, который может помочь другому человеку, и, между прочим, вы можете обидеть другого человека, а то, что вы не краковский раввин, так я тоже не стоял под венцом с племянницей Мозеса Монтефиоре, но... но мадам Каплун... есть у нас мадам Каплун, грандиозная дама, у которой сам Бог не узнает, чего она хочет...

— А я знаю, — прервал лавочника Грач, — я знаю, что Соломончик хочет Баську, но мадам Каплун не хочет меня...

— Да, я не хочу вас, — прокричала тогда мадам Каплун, подслушивавшая у дверей, и она взошла в стеклянную пристроечку, вся пылая, с волнующейся грудью, — я не хочу вас, Грач, как человек не хочет смерти; я не хочу вас, как невеста не хочет прыщей на голове. Не забывайте, что покойный дедушка наш был бакалейщик, покойный папаша был бакалейщик и мы должны держаться нашей бранжи...

— Держитесь вашей бранжи, — ответил Грач пылающей мадам Каплун и ушел к себе домой.

Там ждала его Баська, разодетая в оранжевое платье, но старик, не посмотрев на нее, разостлал кожух под телегами, лег спать и спал до тех пор, пока могучая Баськина рука не выбросила его из-под телеги.

— Рыжий вор, — сказала девушка шепотом, непохожим на ее шепот, — отчего должна я переносить биндюжницкие ваши манеры, и отчего вы молчите, как пень, рыжий вор?..

— Баська, — произнес Грач, — Соломончик тебя хочет, но мадам Каплун не хочет меня... Там ищут бакалейщика.

И, поправив кожух, старик снова полез под телеги, а Баська исчезла со двора…

Все это случилось в субботу, в нерабочий день. Пурпурный глаз заката, обшаривая землю, наткнулся вечером на Грача, храпевшего под своим биндюгом. Стремительный луч уперся в спящего с пламенной укоризной и вывел его на Дальницкую улицу, пылившую и блестевшую, как зеленая рожь на ветру. Татары шли вверх по Дальницкой, татары и турки со своими муллами. Они возвращались с богомолья из Мекки к себе домой в Оренбургские степи и в Закавказье. Пароход привез их в Одессу, и они шли из порта на постоялый двор Любки Шнейвейс, прозванной Любкой Казак. Полосатые несгибаемые халаты стояли на татарах и затопляли мостовую бронзовым потом пустыни. Белые полотенца были замотаны вокруг их фесок, и это обозначало человека, поклонившегося праху пророка. Богомольцы дошли до угла, они повернули к Любкиному двору, но не смогли там пройти, потому что у ворот собралось множество людей. Любка Шнейвейс, с кошелем на боку, била пьяного мужика и толкала его на мостовую. Она била сжатым кулаком по лицу, как в бубен, и другой рукой поддерживала мужика, чтобы он не отваливался. Струйки крови ползли у мужика между зубами и возле уха, он был задумчив и смотрел на Любку, как на чужого человека, потом он упал на камни и заснул. Тогда Любка толкнула его ногой и вернулась к себе в лавку. Ее сторож Евзель закрыл за ней ворота и помахал рукой Фроиму Грачу, проходившему мимо…

— Почтение, Грач, — сказал он, — если хотите что-нибудь наблюдать из жизни, то зайдите к нам на двор, есть с чего посмеяться…

И сторож повел Грача к стене, где сидели богомольцы, прибывшие накануне. Старый турок в зеленой чалме, старый турок, зеленый и легкий, как лист, лежал на траве. Он был покрыт жемчужным потом, он трудно дышал и ворочал глазами.

— Вот, — сказал Евзель и поправил медаль на истертом своем пиджаке, — вот вам жизненная драма из оперы «Турецкая хвороба». Он кончается, старичок, но к нему нельзя позвать доктора, потому что тот, кто кончается по дороге от бога Мухамеда к себе домой, тот считается у них первый счастливец и богач... Халваш, — закричал Евзель умирающему и захохотал, — вот идет доктор лечить тебя...

Турок посмотрел на сторожа с детским страхом и ненавистью и отвернулся. Тогда Евзель, довольный собою, повел Грача на противоположную сторону двора к винному погребу. В погребе горели уже лампы и играла музыка. Старые евреи с грузными бородами играли румынские и еврейские песни. Мендель Крик пил за столом вино из зеленого стакана и рассказывал о том, как его искалечили собственные сыновья — старший Беня и младший Левка. Он орал свою историю хриплым и страшным голосом, показывал размолотые свои зубы и давал щупать раны на животе. Волынские цадики с фарфоровыми лицами стояли за его стулом и слушали с оцепенением похвальбу Менделя Крика. Они удивлялись всему, что слышали, и Грач презирал их за это.

— Старый хвастун, — пробормотал он о Менделе и заказал себе вина.

Потом Фроим подозвал к себе хозяйку Любку Казак. Она сквернословила у дверей и пила водку стоя.

— Говори, — крикнула она Фроиму и в бешенстве скосила глаза.

— Мадам Любка, — ответил ей Фроим и усадил рядом с собой, — вы умная женщина, и я пришел до вас, как до родной мамы. Я надеюсь на вас, мадам Любка, — сначала на Бога, потом на вас.

— Говори, — закричала Любка, побежала по всему погребу и потом вернулась на свое место.

И Грач сказал:

— В колониях, — сказал он, — немцы имеют богатый урожай на пшеницу, а в Константинополе бакалея идет за половину даром. Пуд маслин покупают в Константинополе за три рубля, а продают их здесь по тридцать копеек за фунт... Бакалейщикам стало хорошо, мадам Любка, бакалейщики гуляют очень жирные, и если подойти к ним с деликатными руками, так человек мог бы стать счастливым... Но я остался один в моей работе, покойник Лева Бык умер, мне нет помощи ниоткуда, и вот я один, как бывает один Бог на небе.

— Беня Крик, — сказала тогда Любка, — ты пробовал его на Тартаковском, чем плох тебе Беня Крик?

— Беня Крик? — повторил Грач, полный удивления. — И он холостой, мне сдается?

— Он холостой, — сказала Любка, — окрути его с Баськой, дай ему денег, — выведи его в люди…

— Беня Крик, — повторил старик, как эхо, как дальнее эхо, — я не подумал о нем…

Он встал, бормоча и заикаясь, Любка побежала вперед, и Фроим поплелся за ней следом. Они прошли во двор и поднялись во второй этаж. Там, во втором этаже, жили женщины, которых Любка держала для приезжающих.

— Наш жених у Катюши, — сказала Любка Грачу, — подожди меня в коридоре, — и она прошла в крайнюю комнату, где Беня Крик лежал с женщиной, по имени Катюша.

— Довольно слюни пускать, — сказала хозяйка молодому человеку, — сначала надо пристроиться к какому-нибудь делу, Бенчик, и потом можно слюни пускать… Фроим Грач ищет тебя. Он ищет человека для работы и не может найти его…

И она рассказала все, что знала о Баське и о делах одноглазого Грача.

— Я подумаю, — ответил ей Беня, закрывая простыней Катюшины голые ноги, — я подумаю, пусть старик обождет меня.

— Обожди его, — сказала Любка Фроиму, оставшемуся в коридоре, — обожди его, он подумает…

Хозяйка придвинула стул Фроиму, и он погрузился в безмерное ожидание. Он ждал терпеливо, как мужик в канцелярия. За стеной стонала Катюша и заливалась смехом. Старик продремал два часа и, может быть, больше. Вечер давно уже стал ночью, небо почернело, и млечные его пути исполнились золота, блеска и прохлады. Любкин погреб был закрыт уже, пьяницы валялись во дворе, как сломанная мебель, и старый мулла в зеленой чалме умер к полуночи. Потом музыка пришла с моря, валторны и трубы с английских кораблей, музыка пришла с моря и стихла, но Катюша, обстоятельная Катюша все еще накаляла для Бени Крика свой расписной, свой русский и румяный рай. Она стонала за стеной и заливалась смехом; старый Фроим сидел не двигаясь у ее дверей, он ждал до часу ночи и потом постучал.

— Человек, — сказал он, — неужели ты смеешься надо мной?

Тогда Беня открыл наконец двери Катюшиной комнаты.

— Мосье Грач, — сказал он, конфузясь, сияя и закрываясь простыней, — когда мы молодые, так мы думаем на женщин, что это товар, но это же всего только солома, которая горит ни от чего…

И, одевшись, он поправил Катюшину постель, взбил ее подушки и вышел со стариком на улицу. Гуляя, дошли они до русского кладбища, и там, у кладбища, сошлись интересы Бени Крика и кривого Грача, старого налетчика. Они сошлись на том, что Баська приносит своему будущему мужу три тысячи рублей приданого, две кровных лошади и жемчужное ожерелье. Они сошлись еще на том, что Каплун обязан уплатить две тысячи рублей Бене, Баськиному жениху. Он был повинен в семейной гордости — Каплун с Привозной площади, он разбогател на константинопольских маслинах, он не пощадил первой Баськиной любви, и поэтому Беня Крик решил взять на себя задачу получения с Каплуна двух тысяч рублей.

— Я возьму это на себя, папаша, — сказал он будущему своему тестю, — Бог поможет нам, и мы накажем всех бакалейщиков…

Это было сказано на рассвете, когда ночь прошла уже, — и вот тут начинается новая история, история падения дома Каплунов, повесть о медленной его гибели, о поджогах и ночной стрельбе. И все это — судьба высокомерного Каплуна и судьба девушки Баськи — решилось в ту ночь, когда ее отец и внезапный ее жених гуляли вдоль русского кладбища. Парни тащили тогда девушек за ограды, и поцелуи раздавались на могильных плитах.

ЗАКАТ

Однажды Левка, младший из Криков, увидел Любкину дочь Табл. Табл по-русски значит голубка. Он увидел ее и ушел на трое суток из дому. Пыль чужих мостовых и герань в чужих окнах доставляли ему отраду. Через трое суток Левка вернулся домой и застал отца своего в палисаднике. Отец его вечерял.

Мадам Горобчик сидела рядом с мужем и озиралась, как убийца.

— Уходи, грубый сын, — сказал папаша Крик, завидев Левку.

— Папаша, — ответил Левка, — возьмите камертон и настройте ваши уши.

— В чем суть?

— Есть одна девушка, — сказал сын. — Она имеет блондинный волос. Ее зовут Табл. Табл по-русски значит голубка. Я положил глаз на эту девушку.

— Ты положил глаз на помойницу, — сказал папаша Крик, — а мать ее бандерша.

Услышав отцовские слова, Левка засучил рукава и поднял на отца богохульственную руку. Но мадам Горобчик вскочила со своего места и встала между ними.

— Мендель, — завизжала она, — набей Левке вывеску! Он скушал у меня одиннадцать котлет...

— Ты скушал у матери одиннадцать котлет! — закричал Мендель и подступил к сыну, но тот вывернулся и побежал со двора, и Бенчик, его старший брат, увязался за ним следом. Они до ночи кружили по улицам, они задыхались, как дрожжи, на которых всходит мщение, и под конец Левка сказал брату своему Бене, которому через несколько месяцев суждено было стать Беней Королем.

— Бенчик, — сказал он, — возьмем это на себя, и люди придут целовать нам ноги. Убьем папашу, которого Молдава не называет уже Мендель Крик. Молдава называет его Мендель Погром. Убьем папашу, потому что можем ли мы ждать дальше?

— Еще не время, — ответил Бенчик, — но время идет. Слушай его шаги и дай ему дорогу. Посторонись, Левка.

И Левка посторонился, чтобы дать времени дорогу. Оно тронулось в путь — время, древний кассир, — и повстречалось в пути с Двойрой, сестрой Короля, с Манассе, кучером, и с русской девушкой Марусей Евтушенко.

Еще десять лет тому назад я знал людей, которые хотели иметь Двойру, дочь Менделя Погрома, но теперь у Двойры болтается зоб под подбородком и глаза ее вываливаются из орбит. Никто не хочет иметь Двойру. И вот отыскался недавно пожилой вдовец с взрослыми дочерьми. Ему понадобилась полуторная площадка и пара коней. Узнав об этом, Двойра выстирала свое зеленое платье и развесила его во дворе. Она собралась идти к вдовцу, чтобы узнать, насколько он пожилой, какие кони ему нужны и может ли она его получить. Но папаша Крик не хотел вдовцов. Он взял зеленое платье, спрятал его в свой биндюг и уехал на работу. Двойра развела утюг, чтобы выгладить платье, но она не нашла его. Тогда Двойра упала на землю и получила припадок. Братья подтащили ее к водопроводному крану и облили водой. Узнаете ли вы, люди, руку отца их, прозванного Погромом?

Теперь о Манассе, старом кучере, ездящем на Фрейлине и Соломоне Мудром. На погибель свою он узнал, что кони старого Буциса, и Фроима Грача, и Хаима Дронга подкованы резиной. Глядя на них, Манассе пошел к Пятирубелю и подбил резиной Соломона Мудрого. Манассе любил Соломона Мудрого, но папаша Крик сказал ему:

— Я не Хаим Дронг и не Николай Второй, чтобы кони мои работали на резине.

И он взял Манассе за воротник, поднял его к себе на биндюг и поехал со двора. На протянутой его руке Манассе висел, как на виселице. Закат варился в небе, густой закат, как варенье, колокола стонали на Алексеевской церкви, солнце садилось за Ближними Мельницами, и Левка, хозяйский сын, шел за биндюгом, как собака за хозяином.

Несметная толпа бежала за Криками, как будто они были карета «скорой помощи», и Манассе неутомимо висел на железной руке.

— Папаша, — сказал тогда отцу Левка, — в вашей протянутой руке вы сжимаете мне сердце. Бросьте его, и пусть оно катится в пыли.

Но Мендель Крик даже не обернулся. Лошади несли вскачь, колеса гремели, и у людей был готовый цирк. Биндюг выехал на Дальницкую к кузнице Ивана Пятирубеля. Мендель потер кучера Манассе об стенку и бросил его в кузню на груду железа. Тогда Левка побежал за ведром воды и вылил его на старого кучера Манассе. Узнаете ли вы теперь, люди, руку Менделя, отца Криков, прозванного Погромом?

— Время идет, — сказал однажды Бенчик, и брат его Левка посторонился, чтобы дать времени дорогу. И так стоял Левка в сторонке, пока не занеслась Маруся Евтушенко.

— Маруся занеслась, — стали шушукаться люди, и папаша Крик смеялся, слушая их.

— Маруся занеслась, — говорил он и смеялся, как дитя, — горе всему Израилю, кто эта Маруся?

В эту минуту Бенчик вышел из конюшни и положил папаше руку на плечо.

— Я любитель женщин, — сказал Бенчик строго и передал папаше двадцать пять рублей, потому что он хотел, чтобы вычистка была сделана доктором и в лечебнице, а не у Маруси на дому.

— Я отдам ей эти деньги, — ответил папаша, — и она сделает себе вычистку, иначе пусть не дожить мне до радости.

И на следующее утро, в обычный час, он выехал на Налетчике и Любезной Супруге, а в обед на двор к Крикам явилась Маруся Евтушенко.

— Бенчик, — сказала она, — я любила тебя, будь ты проклят.

И швырнула ему в лицо десять рублей. Две бумажки по пяти — это никогда не было больше десяти.

— Убьем папашу, — сказал тогда Бенчик брату своему Льву, и они сели на лавочку у ворот, и рядом с ними сел Семен, сын дворника Анисима, человек семи лет. И вот, кто бы сказал, что такое семилетнее нечто уже умеет любить и что оно умеет ненавидеть. Кто знал, что оно любит Менделя Погрома, а оно любило.

Братья сидели на лавочке и высчитывали, сколько лет может быть папаше и какой хвост тянется за шестьюдесятью его годами, и Семен, сын дворника Анисима, сидел с ними рядом.

В тот час солнце не дошло еще до Ближних Мельниц. Оно лилось в тучи, как кровь из распоротого кабана, и на улицах громыхали площадки старого Буциса, возвращавшиеся с работы. Скотницы доили уже коров в третий раз, и работницы мадам Парабелюм таскали ей на крыльцо ведра вечернего молока. И мадам Парабелюм стояла на крыльце, хлопала в ладоши.

— Бабы, — кричала она, — свои бабы и чужие бабы. Берта Ивановна, мороженщики и кефирщики! Подходите за вечерним молоком.

Берта Ивановна, учительница немецкого языка, которая получала за урок две кварты молока, первая получила свою порцию. За ней подошла Двойра Крик, для того чтобы посмотреть, сколько воды налила мадам Парабелюм в свое молоко и сколько соды она всыпала в него.

Но Бенчик отозвал сестру в сторону.

— Сегодня вечером, — сказал он, — когда ты увидишь, что старик убил нас, подойди к нему и провали ему голову друшляком. И пусть настанет конец фирме «Мендель Крик и Сыновья».

— Аминь, в добрый час, — ответила Двойра и вышла за ворота. И она увидела, что Семена, сына Анисима, нет больше во дворе и что вся Молдаванка идет к Крикам в гости.

Молдаванка шла толпами, как будто во дворе у Криков были перекидки. Жители шли, как идут на Ярмарочную площадь во второй день Пасхи. Кузнечный мастер Иван Пятирубель прихватил беременную невестку и внучат. Старый Буцис привел племянницу, приехавшую на лиман из Каменец-Подольска. Табл пришла с русским человеком. Она опиралась на его руку и играла лентой от косы. Позже всех прискакала Любка на чалом жеребце. И только Фроим Грач пришел совсем один, рыжий, как ржавчина, одноглазый и в парусиновой бурке.

Люди расселись в палисаднике и вынули угощение. Мастеровые разулись, послали детей за пивом и положили головы на животы своих жен. И тогда Левка сказал Бенчику, своему брату:

— Мендель Погром нам отец, — сказал он, — мадам Горобчик нам мать, а люди — псы, Бенчик. Мы работаем для псов.

— Надо подумать, — ответил Бенчик, но не успел он произнести этих слов, как гром грянул на Головковской. Солнце взлетело кверху и завертелось, как красная чаша на острие копья. Биндюг старика мчался к воротам. Любезная Супруга была в мыле. Налетчик рвал упряжку. Старик взвил кнут над взбесившимися конями. Растопыренные ноги его были громадны, малиновый пот кипел на его лице, и он пел песни пьяным голосом. И тут-то Семен, сын Анисима, скользнул, как змея, мимо чьих-то ног, выскочил на улицу и закричал изо всех сил:

— Заворачивайте биндюг, дяденька Крик, бо сыны ваши хочут лупцовать вас…

Но было поздно. Папаша Крик на взмыленных конях влетел во двор. Он поднял кнут, он открыл рот и… умолк. Люди, рассевшиеся в палисаднике, пучили на него глаза. Бенчик стоял на левом фланге у голубятни. Левка стоял на правом фланге у дворницкой.

— Люди и хозяева! — сказал Мендель Крик чуть слышно и опустил кнут. — Вот смотрите на мою кровь, которая заносит на меня руку.

И, соскочив с биндюга, старик кинулся к Бене и размозжил ему кулаком переносье. Тут подоспел Левка и сделал что мог. Он перетасовал лицо своему отцу, как новую колоду. Но старик был сшит из чертовой кожи, и петли этой кожи были заметаны чугуном. Старик вывернул Левке руки и кинул на землю рядом с братом. Он сел Левке на грудь, и женщины закрыли глаза, чтобы не видеть выломанных зубов старика и лица, залитого кровью. И в это мгновение жители неописуемой Молдавы услышали быстрые шаги Двойры и ее голос.

— За Левку, — сказала она, — за Бенчика, за меня, Двойру, и за всех людей, — и провалила папаше голову друшляком. Люди вскочили на ноги и побежали к ним, размахивая руками. Они оттащили старика к водопроводу, как когда-то Двойру, и открыли кран. Кровь текла по желобу, как вода, и вода текла, как кровь. Мадам Горобчик протискалась боком сквозь толпу и приблизилась, подпрыгивая как воробей.

— Не молчи, Мендель, — сказала она шепотом, — кричи что-нибудь, Мендель…

Но, услышав тишину во дворе и увидев, что старик приехал с работы и кони не распряжены и никто не льет воды на разогревшиеся колеса, она кинулась прочь и побежала по двору, как собака о трех ногах. И тогда почетные хозяева подошли ближе. Папаша Крик лежал бородою кверху.

— Каюк, — сказал Фроим Грач и отвернулся.

— Крышка, — сказал Хаим Дронг, но кузнечный мастер Иван Пятирубель помахал указательным пальцем перед самым его носом.

— Трое на одного, — сказал Пятирубель, — позор для всей Молдавы, но еще не вечер. Не видел я еще того хлопца, который кончит старого Крика…

— Уже вечер, — прервал его Арье-Лейб, неведомо откуда взявшийся, — уже вечер, Иван Пятирубель. Не говори «нет», русский человек, когда жизнь шумит тебе «да».

И, усевшись возле папаши, Арье-Лейб вытер ему платком губы, поцеловал его в лоб и рассказал ему о царе Давиде, о царе над евреями, имевшем много жен, много земель и сокровищ и умевшем плакать вовремя.

— Не скули, Арье-Лейб, — закричал ему Хаим Дронг и стал толкать Арье-Лейба в спину, — не читай нам панихид, ты не у себя на кладбище!

И, оборотившись к папаше Крику, Хаим Дронг сказал:

— Вставай, старый ломовик, прополощи глотку, скажи нам что-нибудь грубое, как ты это умеешь, старый грубиян, и приготовь пару площадок наутро, бо мне надо возить отходы…

И весь народ стал ждать, что скажет Мендель насчет площадок. Но он молчал долго, потом открыл глаза и стал разевать рот, залепленный грязью и волосами, и кровь проступала у него между губами.

— У меня нет площадок, — сказал папаша Крик, — меня сыны убили. Пусть сыны хозяйнуют.

И вот не надо завидовать тем, кто хозяйнует над горьким наследием Менделя Крика. Не надо им завидовать, потому что все кормушки в конюшне давно сгнили, половину колес надо было перешиновать. Вывеска над воротами развалилась, на ней нельзя было прочесть ни одного слова, и у всех кучеров истлело последнее белье. Полгорода было должно Менделю Крику, но кони, выбирая овес из кормушки, вместе с овсом слизывали цифры, написанные мелом на стене. Целый день к ошеломленным наследникам ходили какие-то мужики и требовали денег за сечку и ячмень. Целый день ходили женщины и выкупали из заклада золотые кольца и никелированные самовары. Покой ушел из дома Криков, но Беня, которому через несколько месяцев суждено было сделаться Беней Королем, не сдался и заказал новую вывеску «Извозопромышленное заведение Мендель Крик и сыновья». Это должно было быть написано золотыми буквами по голубому полю и перевито подковами, отделанными под бронзу. Он купил еще штуку полосатого тика на исподники для кучеров и неслыханный лес для ремонта площадок. Он подрядил Пятирубеля на целую неделю и завел квитанции для каждого заказчика. И к вечеру следующего дня, знайте это, люди, он уморился больше, чем если бы сделал пятнадцать туров из Арбузной гавани на Одессу-Товарную. И к вечеру, знайте это, люди, он не нашел дома ни крошки хлеба и ни одной перемытой тарелки. Теперь обнимите умом заядлое варварство мадам Горобчик. Невыметенное сметье лежало в комнатах, небывалый телячий холодец выбросили собакам. И мадам Горобчик торчала у мужниной лежанки, как облитая помоями ворона на осенней ветке.

— Возьми их под заметку, — сказал тогда Бенчик младшему брату, — держи их под микроскопом, эту пару новобрачных, потому, сдается мне, Левка, они копают на нас.

Так сказал Левке брат его Бенчик, видевший всех насквозь своими глазами Бени Короля, но он, Левка-подпасок, не поверил и лег спать. Папаша его тоже храпел уже на своих досках, и мадам Горобчик ворочалась с боку на бок. Она плевала на стены и харкала на пол. Вредный характер ее мешал ей спать. Под конец заснула и она. Звезды рассыпались перед окном, как солдаты, когда они оправляются, зеленые звезды по синему полю. Граммофон, наискосок, у Петьки Овсяницы, заиграл еврейские песни, потом и граммофон умолк. Ночь занималась себе своим делом, и воздух, богатый воздух лился в окно к Левке, младшему из Криков. Он любил воздух, Левка. Он лежал, и дышал, и дремал, и игрался с воздухом. Богатое настроение испытывал он, и это было до тех пор, пока на отцовской лежанке не послышался шорох и скрип. Парень прикрыл тогда глаза и выкатил на позицию уши. Папаша Крик поднял голову, как нюхающая мышь, и сполз с лежанки. Старик вытянул из-под подушки торбочку с монетой и перекинул через плечо сапоги. Левка дал ему уйти, потому что куда он мог уйти, старый пес? Потом парень вылез вслед за отцом и увидел, что Бенчик ползет с другой стороны двора и держится у стенки. Старик подкрался неслышно к биндюгам, он всунул голову в конюшню и засвистал лошадям, и лошади сбежались, чтобы потереться мордами об Менделеву голову. Ночь была во дворе, засыпанная звездами, синим воздухом и тишиной.

— Т-с-с, — приложил Левка палец к губам, и Бенчик, который лез с другой стороны двора, тоже приложил палец к губам. Папаша свистел коням, как маленьким детям, потом он побежал между площадками и брызнул в подворотню.

— Анисим, — сказал он тихим голосом и стукнул в окошко дворницкой. — Анисим, сердце мое, отопри мне ворота.

Анисим вылез из дворницкой, всклокоченный, как сено.

— Старый хозяин, — сказал он, — прошу вас великодушно, не срамитесь передо мною, простым человеком. Идите отдыхать, хозяин…

— Ты отопрешь мне ворота, — прошептал папаша еще тише, — я знаю это, Анисим, сердце мое…

— Вернись в помещение, Анисим, — сказал тогда Бенчик, вышел к дворницкой и положил руку своему папаше на плечо. И Анисим увидел прямо перед собой лицо Менделя Погрома, белое как бумага, и он отвернулся, чтобы не видеть такого лица у своего хозяина.

— Не бей меня, Бенчик, — сказал старый Крик, отступая, — где конец мучениям твоего отца…

— О низкий отец, — ответил Бенчик, — как могли вы сказать то, что вы сказали?

— Я мог! — закричал Мендель и ударил себя кулаком по голове. — Я мог, Бенчик! — закричал он изо всех сил и закачался, как припадочный. — Вот вокруг меня этот двор, в котором я отбыл половину человеческой жизни. Он видел меня, этот двор, отцом моих детей, мужем моей жены и хозяином над моими конями. Он видел мою славу и двадцать моих жеребцов и двенадцать площадок, окованных железом. Он видел ноги мои, непоколебимые, как столбы, и руки мои, злые руки мои. А теперь, дорогие сыны, отоприте мне ворота, и пусть будет сегодня так, как я хочу, пусть уйду я из этого двора, который видел слишком много…

— Папаша, — ответил Беня, не поднимая глаз, — вернитесь к вашей супруге.

Но к ней незачем было возвращаться, к мадам Горобчик. Она сама примчалась в подворотню и покатилась по земле, болтая в воздухе старыми, желтыми своими ногами.

— Ай, — кричала она, катаясь по земле, — Мендель Погром и сыны мои, байстрюки мои… Что вы сделали со мной, байстрюки мои, куда дели вы мои волосы, мое тело, где они, мои зубы, где моя молодость...

Старуха визжала, срывала рубаху со своих плеч и, встав на ноги, закрутилась на одном месте, как собака, которая хочет себя укусить. Она исцарапала сыновьям лица, она целовала сыновьям лица и обрывала им щеки.

— Старый вор, — ревела мадам Горобчик и скакала вокруг мужа, и крутила ему усы и дергала их, — старый вор, мой старый Мендель...

Все соседи были разбужены ее ревом, и весь двор сбежался в подворотню, и голопузые дети засвистели в дудки. Молдаванка стекалась на скандал. И Беня Крик, на глазах у людей поседевший от позора, едва загнал своих новобрачных в квартиру. Он разогнал людей палкой, он оттеснил их к воротам, но Левка, младший брат, взял его за воротник и стал трясти как грушу.

— Бенчик, — сказал он, — мы мучаем старика... Слеза меня точит, Бенчик...

— Слеза тебя точит, — ответил Бенчик, и, собрав во рту слюну, он плюнул Левке ею в лицо. — О низкий брат, — прошептал он, — подлый брат, развяжи мне руки, а не путайся у меня под ногами.

И Левка развязал ему руки. Парень проспал на конюшне до рассвета и потом исчез из дому. Пыль чужих мостовых и герань в чужих окнах доставляли ему отраду. Юноша измерил дороги скорби, пропадал двое суток и, вернувшись на третьи, увидел голубую вывеску, пылавшую над домом Криков. Голубая вывеска толкнула его в сердце, бархатные скатерти сбили с ног Левкины глаза, бархатные скатерти были разостланы на столах, и множество гостей хохотало в палисаднике. Двойра в белой наколке ходила между гостями, накрахмаленные бабы блестели в траве, как эмалированные чайники, и вихлявые мастеровые, уже успевшие скинуть с себя пиджаки, схватив Левку, втолкнули его в комнаты. Там сидел уже с исполосованным лицом Мендель Крик, старший из Криков. Ушер Боярский, владелец фирмы «Шедевр», горбатый закройщик Ефим и Беня Крик вертелись вокруг изуродованного папаши.

— Ефим, — говорил Ушер Боярский своему закройщику, — будьте такой ласковый спуститься к нам поближе и прикиньте на мосье Крика цветной костюмчик prima, как для своего, и осмельтесь на маленькую справку, на какой именно материал они рассчитывают — на английский морской двубортный, на английский сухопутный однобортный, на лодзинский демисезон или на московский плотный…

— Какую робу желаете вы себе справить? — спросил тогда Бенчик папашу Крика. — Сознавайтесь перед мосье Боярским.

— Какое ты имеешь сердце на твоего отца, — ответил папаша Крик и вынул слезу из глаза, — такую справь ему робу.

— Коль скоро папаша не флотский, — прервал отца Беня, — то ему наиболее подходящее будет сухопутное. Подберите ему сначала соответственную пару на каждый день.

Мосье Боярский подался вперед и пригнул ухо.

— Выразите вашу мысль, — сказал он.

— Моя мысль такая, — ответил Беня…

ЛЮБКА КАЗАК

На Молдаванке, на углу Дальницкой и Балковской улиц, стоит дом Любки Шнейвейс. В ее доме помещается винный погреб, постоялый двор, овсяная лавка и голубятня на сто пар крюковских и николаевских голубей. Лавки эти и участок номер сорок шесть на одесских каменоломнях принадлежат Любке Шнейвейс, прозванной Любкой Казак, и только голубятня составляет собственность сторожа Евзеля, отставного солдата с медалью. По воскресеньям Евзель выходит на Охотницкую и продает голубей чиновникам из города и соседским мальчишкам. Кроме сторожа, на Любкином дворе живет еще Песя-Миндл, кухарка и сводница, и управляющий Цудечкис, маленький еврей, похожий ростом и бороденкой на молдаванского раввина нашего — Бен Зхарью. О Цудечкисе я знаю много историй. Первая из них — история о том, как Цудечкис поступил управляющим на постоялый двор Любки, прозванной Казак.

Лет десять тому назад Цудечкис смаклеровал одному помещику молотилку с конным приводом и вечером повел помещика к Любке для того, чтобы отпраздновать покупку. Покупщик его носил возле усов подусники и ходил в лаковых сапогах. Песя-Миндл дала ему на ужин фаршированную еврейскую рыбу и потом очень хорошую барышню, по имени Настя. Помещик переночевал, и наутро Евзель разбудил Цудечкиса, свернувшегося калачиком у порога Любкиной комнаты.

— Вот, — сказал Евзель, — вы хвалились вчера вечером, что помещик купил через вас молотилку, так будьте известны, что, переночевав, он убежал на рассвете, как самый последний. Теперь вынимайте два рубля за закуску и четыре рубля за барышню. Видно, вы тертый старик.

Но Цудечкис не отдал денег. Евзель втолкнул его тогда в Любкину комнату и запер на ключ.

— Вот, — сказал сторож, — ты будешь здесь, а потом приедет Любка с каменоломни и с Божьей помощью выймет из тебя душу. Аминь.

— Каторжанин, — ответил солдату Цудечкис и стал осматриваться в новой комнате, — ты ничего не знаешь, каторжанин, кроме своих голубей, а я верю еще в Бога, Который выведет меня отсюда, как вывел всех евреев — сначала из Египта и потом из пустыни…

Маленький маклер много еще хотел высказать Евзелю, но солдат взял с собой ключ и ушел, громыхая сапогами. Тогда Цудечкис обернулся и увидел у окна сводницу Песю-Миндл, которая читала книгу «Чудеса и сердце Баал-Шема». Она читала хасидскую книгу с золотым обрезом и качала ногой дубовую люльку. В люльке этой лежал Любкин сын, Давидка, и плакал.

— Я вижу хорошие порядки на этом Сахалине, — сказал Цудечкис Песе-Миндл, — вот лежит ребенок и разрывается на части, что это жалко смотреть, и вы, толстая женщина, сидите, как камень в лесу, и не можете дать ему соску…

— Дайте вы ему соску, — ответила Песя-Миндл, не отрываясь от книжки, — если только он возьмет у вас, старого обманщика, эту соску, потому что он уже большой, как кацап, и хочет только мамашенькиного молока, и мамашенька его скачет по своим каменоломням, пьет чай с евреями в трактире «Медведь», покупает в гавани контрабанду и думает о своем сыне, как о прошлогоднем снеге…

— Да, — сказал тогда самому себе маленький маклер, — ты у фараона в руках, Цудечкис, — и он отошел к восточной стене, пробормотал всю утреннюю молитву с прибавлениями и взял потом на руки плачущего младенца. Давидка посмотрел на него с недоумением и помахал малиновыми ножками в младенческом поту, а старик стал ходить по комнате и, раскачиваясь, как цадик на молитве, запел нескончаемую песню.

— А-а-а, — запел он, — вот всем детям дули, а Давидочке нашему калачи, чтобы он спал и днем и в ночи… А-а-а, вот всем детям кулаки…

Цудечкис показал Любкиному сыну кулачок с серыми волосами и стал повторять про дули и калачи до тех пор, пока мальчик не заснул и пока солнце не дошло до середины блистающего неба. Оно дошло до середины и задрожало, как муха, обессиленная зноем. Дикие мужики из Нерубайска и Татарки, остановившиеся на Любкином постоялом дворе, полезли под телеги и заснули там диким заливистым сном, пьяный мастеровой вышел к воротам и, разбросав рубанок и пилу, свалился на землю, свалился и захрапел посредине мира, весь в золотых мухах и голубых молниях июля. Неподалеку от него, в холодке, уселись морщинистые немцы-колонисты, привезшие Любке вино с бессарабской границы. Они закурили трубки, и дым от их изогнутых чубуков стал путаться в серебряной щетине небритых и старческих щек. Солнце свисало с неба, как розовый язык жаждущей собаки, исполинское море накатывалось вдали на Пересыпь, и мачты дальних кораблей колебались на изумрудной воде Одесского залива. День сидел в разукрашенной ладье, день подплывал к вечеру, и навстречу вечеру, только в пятом часу, вернулась из города Любка. Она приехала на чалой лошаденке с большим животом и с отросшей гривой. Парень с толстыми ногами и в ситцевой рубахе открыл ей ворота, Евзель поддержал узду ее лошади, и тогда Цудечкис крикнул Любке из своего заточения:

— Почтение вам, мадам Шнейвейс, и добрый день. Вот вы уехали на три года по делам и набросили мне на руки голодного ребенка...

— Цыть, мурло, — ответила Любка старику и слезла с седла, — кто это разевает там рот в моем окне?

— Это Цудечкис, тертый старик, — ответил хозяйке солдат с медалью и стал рассказывать ей всю историю с помещиком, но он не досказал до конца, потому что маклер, перебивая его, завизжал изо всех сил.

— Какая нахальства, — завизжал он и швырнул вниз ермолку, — какая нахальства набросить на руки чужого ребенка и самой пропасть на три года... Идите дайте ему цицю...

— Вот я иду к тебе, аферист, — пробормотала Любка и побежала к лестнице. Она вошла в комнату и вынула грудь из запыленной кофты.

Мальчик потянулся к ней, искусал чудовищный ее сосок, но не добыл молока. У матери надулась жила на лбу, и Цудечкис сказал ей, тряся ермолкой:

— Вы все хотите захватить себе, жадная Любка; весь мир тащите вы к себе, как дети тащат скатерть с хлебными крошками; первую пшеницу хотите вы и первый виноград; белые хлебы хотите вы печь на солнечном припеке, а маленькое дите ваше, такое дите, как звездочка, должно захлянуть без молока...

— Какое там молоко, — закричала женщина и надавила грудь, — когда сегодня прибыл в гавань «Плутарх» и я сделала пятнадцать верст по жаре?.. А вы, вы запели длинную песню, старый еврей, — отдайте лучше шесть рублей...

Но Цудечкис опять не отдал денег. Он распустил рукав, обнажил руку и сунул Любке в рот худой и грязный локоть.

— Давись, арестантка, — сказал он и плюнул в угол.

Любка подержала во рту чужой локоть, потом вынула его, заперла дверь на ключ и пошла во двор. Там уже дожидался ее мистер Троттибэрн, похожий на колонну из рыжего мяса. Мистер Троттибэрн был старшим механиком на «Плутархе». Он привез с собой к Любке двух матросов. Один из матросов был англичанином, другой был малайцем. Все втроем они втащили во двор контрабанду, привезенную из Порт-

Саида. Их ящик был тяжел, они уронили его на землю, и из ящика выпали сигары, запутавшиеся в японском шелку. Множество баб сбежалось к ящику, и две пришлые цыганки, колеблясь и гремя, стали заходить сбоку.

— Прочь, галота! — крикнула им Любка и увела моряков в тень под акацию.

Они сели там за стол. Евзель подал им вина, и мистер Троттибэрн развернул свои товары. Он вынул из тюка сигары и тонкие шелка, кокаин и напильники, необандероленный табак из штата Виргиния и черное вино, купленное на острове Хиосе. Всякому товару была особая цена, каждую цифру запивали бессарабским вином, пахнущим солнцем и клопами. Сумерки побежали по двору, сумерки побежали, как вечерняя волна на широкой реке, и пьяный малаец, полный удивления, тронул пальцем Любкину грудь. Он тронул ее одним пальцем, потом всеми пальцами по очереди.

Желтые и нежные его глаза повисли над столом, как бумажные фонари на китайской улице; он запел чуть слышно и упал на землю, когда Любка толкнула его кулаком.

— Смотрите, какой хорошо грамотный, — сказала о нем Любка мистеру Троттибэрну, — последнее молоко пропадет у меня от этого малайца, а вот тот еврей съел уже меня за это молоко…

И она указала на Цудечкиса, который, стоя в окне, стирал свои носки. Маленькая лампа коптила в комнате у Цудечкиса, лоханка его пенилась и шипела, он высунулся из окна, почувствовав, что говорят о нем, и закричал с отчаянием.

— Ратуйте, люди! — закричал он и помахал руками.

— Цыть, мурло! — захохотала Любка. — Цыть.

Она бросила в старика камнем, но не попала с первого раза. Женщина схватила тогда пустую бутылку из-под вина. Но мистер Троттибэрн, старший механик, взял у нее бутылку, нацелился и угодил в раскрытое окно.

— Мисс Любка, — сказал старший механик, вставая, и он собрал к себе пьяные ноги, — много достойных людей приходят ко мне, мисс Любка, за товаром, но я никому не даю его, ни мистеру Кунинзону, ни мистеру Батю, ни мистеру Купчику, никому, кроме вас, потому что разговор ваш мне приятен, мисс Любка...

И, утвердившись на вздрогнувших ногах, он взял за плечи своих матросов, одного англичанина, другого малайца, и пошел танцевать с ними по захолодевшему двору. Люди с «Плутарха» — они танцевали в глубокомысленном молчании. Оранжевая звезда, скатившись к самому краю горизонта, смотрела на них во все глаза. Потом они получили деньги, взялись за руки и вышли на улицу, качаясь, как качается висячая лампа на корабле. С улицы им видно было море, черная вода Одесского залива, игрушечные флаги на потонувших мачтах и пронизывающие огни, зажженные в просторных недрах. Любка проводила танцующих гостей до переезда; она осталась одна на пустой улице, засмеялась своим мыслям и вернулась домой. Заспанный парень в ситцевой рубахе запер за нею ворота, Евзель принес хозяйке дневную выручку, и она отправилась спать к себе наверх. Там дремала уже Песя-Миндл, сводница, и Цудечкис качал босыми ножками дубовую люльку.

— Как вы замучили нас, бессовестная Любка, — сказал он и взял ребенка из люльки, — но вот учитесь у меня, паскудная мать...

Он приставил мелкий гребень к Любкиной груди и положил сына ей в кровать. Ребенок потянулся к матери, накололся на гребень и заплакал. Тогда старик подсунул ему соску, но Давидка отвернулся от соски.

— Что вы колдуете надо мной, старый плут? — пробормотала Любка, засыпая.

— Молчать, паскудная мать! — ответил ей Цудечкис. — Молчать и учитесь, чтоб вы пропали...

Дитя опять укололось о гребень, оно нерешительно взяло соску и стало сосать ее.

— Вот, — сказал Цудечкис и засмеялся, — я отлучил вашего ребенка, учитесь у меня, чтоб вы пропали...

Давидка лежал в люльке, сосал соску и пускал блаженные слюни. Любка проснулась, открыла глаза и закрыла их снова. Она увидела сына и луну, ломившуюся к ней в окно. Луна прыгала в черных тучах, как заблудившийся теленок.

— Ну, хорошо, — сказала тогда Любка, — открой Цудечкису дверь, Песя-Миндл, и пусть он придет завтра за фунтом американского табаку...

И на следующий день Цудечкис пришел за фунтом необандероленного табаку из штата Виргиния. Он получил его и еще четвертку чаю в придачу. А через неделю, когда я пришел к Евзелю покупать голубей, я увидел нового управляющего на Любкином дворе. Он был крохотный, как раввин, наш Бен Захарья. Цудечкис был новым управляющим.

Он пробыл в своей должности пятнадцать лет, и за это время я узнал о нем множество историй. И, если сумею, я расскажу их все по порядку, потому что это очень интересные истории.

СПРАВЕДЛИВОСТЬ В СКОБКАХ

Первое дело я имел с Беней Криком, второе — с Любкой Шнейвейс. Можете вы понять такие слова? Во вкус этих слов можете вы войти? На этом пути смерти недоставало Сережки Уточкина. Я не встретил его на этот раз, и поэтому я жив. Как медный памятник стоит он над городом, он — Уточкин, рыжий и сероглазый. Все люди должны будут пробежать между его медных ног.

...Не надо уводить рассказ в боковые улицы. Не надо этого делать даже и в том случае, когда на боковых улицах цветет акация и поспевает каштан. Сначала о Бене, потом о Любке Шнейвейс. На этом кончим. И все скажут: точка стоит на том месте, где ей приличествует стоять.

...Я стал маклером. Сделавшись одесским маклером — я покрылся зеленью и пустил побеги. Обремененный побегами — я почувствовал себя несчастным. В чем причина? Причина в конкуренции. Иначе я бы на эту справедливость даже не высморкался. В моих руках не спрятано ремесла. Передо мной стоит воздух. Он блестит, как море под солнцем, красивый и пустой воздух. Побеги хотят кушать. У меня их семь, и моя жена — восьмой побег. Я не высморкался на справедливость. Нет. Справедливость высморкалась на меня. В чем причина? Причина в конкуренции.

Кооператив назывался «Справедливость». Ничего худого о нем сказать нельзя. Грех возьмет на себя тот, кто станет говорить о нем дурно. Его держали шесть компаньонов, «primo de primo»[1], к тому же специалисты по своей бранже[2]. Лавка у них была полна товару, а постовым милиционером поставили туда Мотю с Головковской. Чего еще надо? Больше, кажется, ничего не надо. Это дело предложил мне бухгалтер из «Справедливости». Честное слово, верное дело, спокойное дело. Я почистил мое тело платяной щеткой и переслал его Бене. Король сделал вид, что не заметил моего тела. Тогда я кашлянул и сказал:

— Так и так, Беня.

Король закусывал. Графинчик с водочкой, жирная сигара, жена с животиком, седьмой месяц или восьмой, верно не скажу. Вокруг террасы — природа и дикий виноград.

— Так и так, Беня, — говорю я.

— Когда? — спрашивает он меня.

— Коль раз вы меня спрашиваете, — отвечаю я королю, — так я должен высказать свое мнение. По-моему, лучше всего с субботы на воскресенье. На посту, между прочим, стоит не кто иной, как Мотя с Головковской. Можно и в будний день, но зачем, чтобы из спокойного дела вышло неспокойное?

Такое у меня было мнение. И жена короля с ним согласилась.

— Детка, — сказал ей тогда Беня, — я хочу, чтобы ты пошла отдохнуть на кушетке.

Потом он медленными пальцами сорвал золотой ободок с сигары и обернулся к Фроиму Штерну:

— Скажи мне, Грач, мы заняты в субботу или мы не заняты в субботу?

Но Фроим Штерн человек себе на уме. Он рыжий человек с одним только глазом на голове. Ответить с открытой душой Фроим Штерн не может.

— В субботу, — говорит он, — вы обещали зайти в Общество взаимного кредита…

Грач делает вид, что ему больше нечего сказать, и он беспечно втыкает свой единственный глаз в самый дальний угол террасы.

— Отлично, — подхватывает Беня Крик, — напомнишь мне в субботу за Цудечкиса, запиши это себе, Грач. Идите к своему семейству, Цудечкис, — об-

---

[1] Первые из первых (*лат.*).

[2] Б р а н ж а (*угол.*) — дело.

ращается ко мне король, — в субботу вечерком, по всей вероятности, я зайду в «Справедливость». Возьмите с собой мои слова, Цудечкис, и начинайте идти.

Король говорит мало, и он говорит вежливо. Это пугает людей так сильно, что они никогда его не переспрашивают. Я пошел со двора, пустился идти по Госпитальной, завернул на Стеновую, потом остановился, чтобы рассмотреть Бенины слова. Я попробовал их на ощупь и на вес, я подержал их между моими передними зубами и увидел, что это совсем не те слова, которые мне нужны.

— По всей вероятности, — сказал король, снимая медленными пальцами золотой ободок с сигары. Король говорит мало, и он говорит вежливо. Кто вникает в смысл немногих слов короля? По всей вероятности, зайду, или, по всей вероятности, не зайду? Между да и нет лежат пять тысяч комиссионных. Не считая двух коров, которых я держу для своей надобности, у меня девять ртов, готовых есть. Кто дал мне право рисковать? После того, как бухгалтер из «Справедливости» был у меня, не пошел ли он к Бунцельману? И Бунцельман, в свою очередь, не побежал ли он к Коле Штифту, а Коля парень горячий до невозможности. Слова короля каменной глыбой легли на том пути, по которому рыскал голод, умноженный на девять голов. Говоря проще, я предупредил Бунцельмана на полголоса. Он входил к Коле в ту минуту, когда я выходил от Коли. Было жарко, и он вспотел. «Удержитесь, Бунцельман, — сказал я ему, — вы торопитесь напрасно, и вы потеете напрасно. Здесь я кушаю. Und damit Punktum [1], как говорят немцы».

И был день пятый. И был день шестой. Суббота прошлась по молдаванским улицам. Мотя уже стал на посту, я уже спал на моей постели, Коля трудился в «Справедливости». Он нагрузил полбиндюга, и его цель была нагрузить еще полбиндюга. В это время в переулке послышался шум, загрохотали колеса, обитые железом: Мотя с Головковской взялся за телеграфный столб и спросил: «Пусть он упадет?» Коля ответил: «Еще не время». (Дело в том, что этот столб в случае нужды мог упасть.)

[1] И с этим покончено (*нем.*).

Телега шагом въехала в переулок и приблизилась к лавке. Коля понял, что это приехала милиция, и у него стало разрываться сердце на части, потому что ему было жалко бросать свою работу.

— Мотя, — сказал он, — когда я выстрелю, столб упадет.

— Безусловно, — ответил Мотя.

Штифт вернулся в лавку, и все его помощники пошли с ним. Они стали вдоль стены и вытащили револьверы. Десять глаз и пять револьверов были устремлены на дверь, все это не считая подпиленного столба. Молодежь была полна нетерпения.

— Тикай, милиция, — прошептал кто-то невоздержанный, — тикай, бо задавим...

— Молчать, — произнес Беня Крик, прыгая с антресолей. — Где ты видишь милицию, мурло? Король идет.

Еще немного, и произошло бы несчастье, Беня сбил Штифта с ног и выхватил у него револьвер. С антресолей начали падать люди, как дождь. В темноте ничего нельзя было разобрать.

— Ну вот, — прокричал тогда Колька. — Беня хочет меня убить, это довольно интересно...

В первый раз в жизни короля приняли за пристава. Это было достойно смеха. Налетчики хохотали во все горло. Они зажгли свои фонарики, они надрывали свои животики, они катались по полу, задушенные смехом.

Один король не смеялся.

— В Одессе скажут, — начал он дельным голосом, — в Одессе скажут: король польстился на заработок своего товарища.

— Это скажут один раз, — ответил ему Штифт. — Никто не скажет ему этого два раза.

— Коля, — торжественно и тихим голосом продолжал король, — веришь ли ты мне, Коля?

И тут налетчики перестали смеяться. У каждого из них горел в руке фонарик, но смех выполз из кооператива «Справедливость».

— В чем я должен тебе верить, король?

— Веришь ли ты мне, Коля, что я здесь ни при чем?

И он сел на стул, этот присмиревший король, он закрыл пыльным рукавом глаза и заплакал. Такова была гордость этого человека, чтоб ему гореть огнем.

И все налетчики, все до единого видели, как плачет от оскорбленной гордости их король.

Потом они встали друг перед другом. Беня стоял, и Штифт стоял. Они начали здоровкаться за руку, они извинялись, они целовали друг друга в губы, и каждый из них тряс руку своего товарища с такой силой, как будто он хотел ее оторвать. Уже рассвет начал хлопать своими подслеповатыми глазами, уже Мотя ушел в участок сменяться, уже два полных биндюга увезли то, что когда-то называлось кооперативом «Справедливость», а король и Коля все еще горевали, все еще кланялись и, закинув друг другу за шею руки, целовались нежно, как пьяные.

Кого искала судьба в это утро? Она искала меня, Цудечкиса, и она меня нашла.

— Коля, — спросил наконец король, — кто тебе указал на «Справедливость»?

— Цудечкис. А тебе, Беня, кто указал?

— И мне Цудечкис.

— Беня, — восклицает тогда Коля, — неужели же он останется у нас живой?

— Безусловно, что нет, — обращается Беня к одноглазому Штерну, который стоит в сторонке и хихикает, потому что он со мной в контрах, — закажешь, Фроим, глазетовый гроб, а я иду до Цудечкиса. Ты же, Коля, раз ты кое-что начал, то ты обязан это кончить, и очень прошу тебя от моего имени и от имени моей супруги зайти ко мне утром и закусить в кругу моей семьи.

Часов в пять утра, или нет, часа в четыре утра, а еще, может быть, и четырех не было, король зашел в мою спальню, взял меня, извините, за спину, снял с кровати, положил на пол и поставил свою ногу на мой нос. Услышав разные звуки и тому подобное, моя супруга спрыгнула и спросила Беню:

— Мосье Крик, за что вы обижаетесь на моего Цудечкиса?

— Как за что, — ответил Беня, не снимая ноги с моей переносицы, и слезы закапали у него из глаз, — он бросил тень на мое имя, он опозорил меня перед товарищами, можете проститься с ним, мадам Цудечкис, потому что моя честь дороже мне счастья и он не может оставаться живой...

Продолжая плакать, он топтал меня ногами. Моя супруга, видя, что я сильно волнуюсь, закричала. Это случилось в половине пятого, кончила она к восьми часам. Но она же ему задала, ох, как она ему задала! Это была роскошь!

— За что серчать на моего Цудечкиса, — кричала она, стоя на кровати, и я, корчась на полу, смотрел на нее с восхищением, — за что бить моего Цудечкиса? За то ли, что он хотел накормить девять голодных птенчиков? Вы, такой-сякой, вы — Король, вы зять богача и сами богач, и ваш отец богач. Вы человек, перед которым открыто все и вся, что значит для Бенчика одно неудачное дело, когда следующая неделя принесет вам семь удачных? Не сметь бить моего Цудечкиса! Не сметь!

Она спасла мне жизнь.

Когда проснулись дети, они начали кричать совместно с моей супругой. Беня все-таки испортил мне столько здоровья, сколько он понимал, что мне нужно испортить. Он оставил двести рублей на лечение и ушел. Меня отвезли в Еврейскую больницу. В воскресенье я умирал, в понедельник я поправлялся, а во вторник у меня был кризис.

Вот моя первая история. Кто виноват, и где причина? Неужели Беня виноват? Нечего нам друг другу глаза замазывать. Другого такого, как Беня Король, — нет. Истребляя ложь, он ищет справедливость, и ту справедливость, которая в скобках и которая без скобок. Но ведь все другие невозмутимы, как холодец, они не любят искать, они не будут искать, и это хуже.

Я выздоровел. И это для того, чтобы из Бениных рук перелететь в Любкины. Сначала я о Бене, потом о Любке Шнейвейс. На этом кончим. И всякий скажет: точка стоит на том месте, где ей приличествует стоять.

ФРОИМ ГРАЧ

В девятнадцатом году люди Бени Крика напали на арьергард добровольческих войск, вырезали офицеров и отбили часть обоза. В награду они потребовали у Одесского Совета три дня «мирного восстания», но разрешения не получили и вывезли поэтому мануфактуру из всех лавок, расположенных на Александровском проспекте. Деятельность их перенеслась потом на Общество взаимного кредита. Пропуская вперед клиентов, они входили в банк и обращались к артельщикам с просьбой положить в автомобиль, ждавший на улице, тюки с деньгами и ценностями. Прошел месяц, прежде чем их стали расстреливать. Тогда нашлись люди, сказавшие, что к делам поимки и арестов имеет отношение Арон Пескин, владелец мастерской. В чем состояла работа этой мастерской — установлено не было. На квартире Пескина стоял станок — длинная машина с покоробленным свинцовым валом; на полу валялись опилки и картон для переплетов.

Однажды в весеннее утро приятель Пескина Миша Яблочко постучался к нему в мастерскую.

— Арон, — сказал гость Пескину, — на улице дивная погода. В моем лице ты имеешь типа, который способен захватить с собой полбутылки с любительской закуской и поехать кататься по воздуху в Аркадию... Ты можешь смеяться над таким субъектом, но я любитель сбросить иногда все эти мысли с головы...

Пескин оделся и поехал с Мишей Яблочко на штейгере в Аркадию. Они катались до вечера; в сумерках Миша Яблочко вошел в комнату, где мадам Пескина мыла в корыте четырнадцатилетнюю свою дочь.

— Приветствую, — сказал Миша, снимая шляпу, — мы бесподобно провели время. Воздух — это что-то небывалое, но только надо наесться горохом, прежде чем говорить с вашим мужем... Он имеет надоедливый характер.

— Вы нашли кому рассказывать, — произнесла мадам Пескина, хватая дочь за волосы и мотая ее во все стороны. — Где он, этот авантюрист?

— Он отдыхает в палисаднике.

Миша снова приподнял шляпу, простился и уехал на штейгере. Мадам Пескина, не дождавшись мужа, пошла за ним в палисадник. Он сидел в шляпе панама, облокотившись о садовый стол, и скалил зубы.

— Авантюрист, — сказала ему мадам Пескина, — ты еще смеешься... У меня делается припадок от твоей дочери, она не хочет мыть голову... Пойди, имей беседу с твоей дочерью...

Пескин молчал и все скалил зубы.

— Бонабак, — начала мадам Пескина, заглянула мужу под шляпу панама и закричала.

Соседи сбежались на ее крик.

— Он не живой, — сказала им мадам Пескина. — Он мертвый.

Это была ошибка. Пескину в двух местах прострелили грудь и проломили череп, но он жил еще. Его отвезли в еврейскую больницу. Не кто другой, как доктор Зильберберг, сделал раненому операцию, но Пескину не посчастливилось — он умер под ножом. В ту же ночь Чека арестовала человека по прозвищу Грузин и его друга Колю Лапидуса. Один из них был кучером Миши Яблочко, другой ждал экипаж в Аркадии, на берегу моря у поворота, ведущего в степь. Их расстреляли после допроса, длившегося недолго. Один Миша Яблочко ушел из засады. След его потерялся, и несколько дней прошло прежде, чем на двор к Фроиму Грачу пришла старуха, торговавшая семечками. Она несла на руке корзину со своим товаром. Одна бровь ее мохнатым угольным кустом была поднята кверху, другая, едва намеченная, загибалась над веком. Фроим Грач сидел, расставив ноги, у конюшни и играл со своим внуком Аркадием. Мальчик этот три года назад выпал из могучей утробы дочери его Баськи. Дед протянул Аркадию палец, тот охватил его, повис и стал качаться на нем, как на перекладине.

— Ты — чепуха... — сказал внуку Фроим, глядя на него единственным глазом.

К ним подошла старуха с мохнатой бровью и в мужских штиблетах, перевязанных бечевкой.

— Фроим, — произнесла старуха, — я говорю тебе, что у этих людей нет человечества. У них нет слова. Они давят нас в погребах, как собак в яме. Они не дают нам говорить перед смертью... Их надо грызть зубами, этих людей, и вытаскивать из них сердце... Ты молчишь, Фроим, — прибавил Миша Яблочко, — ребята ждут, что ты перестанешь молчать...

Миша встал, переложил корзину из одной руки в другую и ушел, подняв черную бровь. Три девочки с заплетенными косицами встретились с ним на Алексеевской площади у церкви. Они прогуливались, взявшись за талии.

— Барышни, — сказал им Миша Яблочко, — я не угощу вас чаем с семитатью...

Он насыпал им в карман платьиц семечек из стакана и исчез, обогнув церковь.

Фроим Грач остался один на своем дворе. Он сидел неподвижно, устремив в пространство свой единственный глаз. Мулы, отбитые у колониальных войск, хрустели сеном на конюшне, разъевшиеся матки паслись с жеребятами на усадьбе. В тени под каштаном кучера играли в карты и прихлебывали вино из черепков. Жаркие порывы ветра налетали на меловые стены, солнце в голубом своем оцепенении лилось над двором. Фроим встал и вышел на улицу. Он пересек Прохоровскую, чадившую в небо нищим тающим дымом своих кухонь, и площадь Толкучего рынка, где люди, завернутые в занавеси и гардины, продавали их друг другу. Он дошел до Екатерининской улицы, свернул у памятника императрице и вошел в здание Чека.

— Я Фроим, — сказал он коменданту, — мне надо до хозяина.

Председателем Чека в то время был Владислав Симен, приехавший из Москвы. Узнав о приходе Фроима, он вызвал следователя Борового, чтобы расспросить его о посетителе.

— Это грандиозный парень, — ответил Боровой, — тут вся Одесса пройдет перед вами…

И комендант ввел в кабинет старика в парусиновом балахоне, громадного, как здание, рыжего, с прикрытым глазом и изуродованной щекой.

— Хозяин, — сказал вошедший, — кого ты бьешь?.. Ты бьешь орлов. С кем ты останешься, хозяин, со смитьем?..

Симен сделал движение и приоткрыл ящик стола.

— Я пусто, — сказал тогда Фроим, — в руках у меня ничего нет, и в чеботах у меня ничего нет, и за воротами на улице я никого не оставил… Отпусти моих ребят, хозяин, скажи твою цену…

Старика усадили в кресло, ему принесли коньяку. Боровой вышел из комнаты и собрал у себя следователей и комиссаров, приехавших из Москвы.

— Я покажу вам одного парня, — сказал он, — это эпопея, второго нет…

И Боровой рассказал о том, что одноглазый Фроим, а не Беня Крик, был истинным главой сорока тысяч одесских воров. Игра его была скрыта, но все совершалось по планам старика — разгром фабрик и казначейства в Одессе, нападения на добровольцев и на союзные войска. Боровой ждал выхода старика, чтоб поговорить с ним. Фроим не появлялся. Соскучившийся следователь отправился на поиски. Он обошел все здание и под конец заглянул на черный двор. Фроим Грач лежал там распростертый под брезентом у стены, увитой плющом. Два красноармейца курили самодельные папиросы над его трупом.

— Чисто медведь, — сказал старший, увидев Борового, — это сила непомерная… Такого старика не убить, ему б износу не было… В нем десять зарядов сидит, а он все лезет…

Красноармеец раскраснелся, глаза его блестели, картуз сбился набок.

— Мелешь больше пуду, — прервал его другой конвоир, — помер и помер, все одинакие…

— Ан не все, — вскричал старший, — один просится, кричит, другой слова не скажет… Как это так можно, чтобы все одинакие…

— У меня они все одинакие, — упрямо повторил красноармеец помоложе, — все на одно лицо, я их не разбираю…

Боровой наклонился и отвернул брезент. Гримаса движения осталась на лице старика.

Следователь вернулся в свою комнату. Это был циркульный зал, обитый атласом. Там шло собрание о новых правилах делопроизводства. Симен делал доклад о непорядках, которые он застал, о неграмотных приговорах, о бессмысленном ведении протоколов следствия. Он настаивал на том, чтоб следователи, разбившись на группы, начали занятия с юрисконсультами и вели бы дела по формам и образцам, утвержденным Главным управлением в Москве.

Боровой слушал, сидя в своем углу. Он сидел один, далеко от остальных. Симен подошел к нему после собрания и взял за руку.

— Ты сердишься на меня, я знаю, — сказал он, — но только мы власть, Саша, мы — государственная власть, это надо помнить…

— Я не сержусь, — ответил Боровой и отвернулся, — вы не одессит, вы не можете этого знать, тут целая история с этим стариком…

Они сели рядом, председатель, которому исполнилось двадцать три года, со своим подчиненным. Симен держал руку Борового в своей руке и пожимал ее.

— Ответь мне как чекист, — сказал он после молчания, — ответь мне как революционер — зачем нужен этот человек в будущем обществе?

— Не знаю, — Боровой не двигался и смотрел прямо перед собой, — наверное, не нужен…

Он сделал усилие и прогнал от себя воспоминания. Потом, оживившись, он снова начал рассказывать чекистам, приехавшим из Москвы, о жизни Фроима Грача, об изворотливости его, неуловимости, о презрении к ближнему, все эти удивительные истории, отошедшие в прошлое…

КОНЕЦ БОГАДЕЛЬНИ

СТАРЫЙ ШЛОЙМЕ

Хотя наш городок и невелик, хотя все жители в нем наперечет, хотя Шлойме прожил в городке 60 лет безвыездно, но все-таки не каждый бы вам сказал, кто такой Шлойме и что он из себя представляет. Это потому, что его просто забыли, как забывают ненужную, не попадающуюся на глаза вещь. Такой вещью и был старый Шлойме. Ему было 86 лет. Глаза его слезились; лицо, маленькое, грязное, морщинистое лицо, обросло желтоватой, никогда не расчесываемой бородой и космами густых, спутанных волос на голове. Шлойме почти никогда не умывался, редко менял платье, и от него дурно пахло; сын и невестка, у которых он жил, махнули на него рукой, запрятали в теплый угол и забыли о нем. Теплый угол и еда — вот что осталось у Шлойме, и, казалось, ему было этого довольно. Погреть свои старые, изломанные кости, скушать хороший кусок жирного, сочного мяса было для него высшим наслаждением. К столу он приходил первый; жадно следил немигающими глазами за каждым куском, длинными костлявыми пальцами судорожно запихивал пищу в рот и ел, ел, ел до тех пор, пока ему отказывали дать еще, еще хоть один маленький кусочек. На Шлойме было противно смотреть в то время, когда он ел: вся его тощая фигурка дрожала, пальцы в жиру, лицо такое жалкое, полное страшной боязни, чтобы его не обидели, чтобы не забыли о нем. Иногда невестка подшучивала над Шлойме: за столом она как будто случайно обходила его; старик начинал волноваться, беспомощно оглядываться, пытался улыбнуться своим искривленным, беззубым ртом; он хотел доказать, что для него не важно кушанье, что он и так обойдется, но в глубине глаз, в складке рта, в протянутых молящих руках чувствовалась такая просьба, эта с таким трудом скорченная улыбка была так жалка, что шутки забывались и старый Шлойме получал свою порцию.

Так и жил он в своем углу — ел и спал, а летом еще грелся на солнышке. Способность соображать он, казалось, давно утратил. Дела сына, домашние события не интересовали его. Безучастно смотрел он на все происходящее, и только шевелилась боязнь, как бы внук не подсмотрел, что у него под подушкой спрятан засохший кусок пряника. Никогда никто не говорил с Шлойме, не советовался с ним, не просил у него помощи. И Шлойме был очень доволен, когда однажды после ужина сын подошел к нему и громко крикнул на ухо: «Папаша, нас выселяют отсюда, слышите, выселяют, гонят!» Голос сына дрожал, лицо перекосилось точно от боли. Шлойме медленно поднял свои выцветшие глаза, осмотрелся, с трудом что-то сообразил, запахнулся в засаленный сюртук, ничего не ответил и побрел спать.

С этого дня Шлойме начал замечать, что в доме творится что-то неладное. Сын был расстроен, не занимался делом, иногда плакал и украдкой смотрел на жующего отца. Внук перестал ходить в гимназию. Невестка кричала визгливым голосом, ломала руки, прижимала к себе своего мальчика и плакала, горько, с надрывом плакала.

У Шлойме нашлось теперь занятие — он смотрел и старался соображать. Смутные мысли шевелились в давно не работавшем мозгу. «Их гонят отсюда!» Шлойме знал, за что их гонят. «Но ведь он не может уехать! Ему 86 лет; он хочет отогреться. На дворе холодно, сыро... Нет, Шлойме никуда не уйдет. Ему некуда идти, совсем некуда». Шлойме забился в свой угол, и ему захотелось обнять деревянную расшатанную кровать, погладить печку, милую, теплую, такую же старую, как и он, печку. «Он вырос здесь, прожил свою бедную, неприветливую жизнь и хочет, чтобы его старые кости покоились на маленьком родном кладбище». В минуты таких дум Шлойме неестественно оживлялся, шел к сыну, хотел говорить ему много и горячо, посоветовать что-нибудь, но... он так давно ни с кем не говорил, никому ничего не советовал. И слова застывали в беззубом рте, поднятая рука бессильно опускалась. Шлойме, весь съежившись, как бы застыдившись своего порыва, угрюмо шел обратно к себе и прислушивался, о чем говорит сын с невесткой. Он плохо слышал, но что-то чувствовал, со страхом, с ужасом чувствовал. В такие минуты сын ощущал устремленный на него тяжелый и безумный взгляд выжившего из ума старика, и пара маленьких глаз с проклятым вопросом беспрестанно о чем-то догадывалась, что-то выпытывала. Один раз слово было произнесено слишком громко: невестка забыла, что Шлойме еще не умер. И вслед за этим словом послышался тихий, точно придушенный вой. Это был старый Шлойме. Колеблющимися шагами, грязный и всклокоченный, он медленно приполз к сыну, схватил его за руки, погладил их, поцеловал, не отводя от сына воспаленного взора, несколько раз покачал головой, и впервые за много-много лет слезы выкатились из его глаз. Больше он ничего не сказал. С трудом поднялся с колен, костлявой рукой вытер слезы, для чего-то стряхнул пыль с сюртука и побрел обратно к себе, туда, где в углу стояла теплая печка... Шлойме хотел обогреться. Ему сделалось холодно.

С той поры Шлойме ни о чем другом не думал. Он знал одно: сын его хотел уйти от своего народа, к новому богу. Старая, забытая вера всколыхнулась в нем. Шлойме никогда не был религиозен, редко молился и раньше слыл даже безбожником. Но уйти, совсем, навсегда уйти от своего Бога, Бога униженного и страдающего народа — этого он не понимал. Тяжело ворочались мысли в его голове, туго соображал он, но эти слова неизменно, твердо, грозно стояли перед ним: «Нельзя этого, нельзя!» И когда понял Шлойме, что несчастье неотвратимо, что сын не выдержит, то он сказал себе: «Шлойме, старый Шлойме, что тебе теперь делать?» Беспомощно оглянулся старик вокруг себя, по-детски жалобно сморщил рот и хотел заплакать горькими, старческими слезами. Их не было, облегчающих слез. И тогда, в ту минуту, когда сердце его заныло, когда ум понял безмерность несчастья, тогда Шлойме в последний раз любовно осмотрел свой теплый угол и решил, что его не прогонят отсюда, никогда не прогонят. «Старику Шлойме не дают съесть кусок засохшего пряника, который лежит у него под подушкой. Ну так что ж? Шлойме расскажет Богу, как его обидели, Бог ведь есть, Бог примет его». В этом Шлойме был уверен.

Ночью, дрожа от холода, поднялся он с кровати. Тихо, чтобы никого не разбудить, зажег маленькую керосиновую лампу. Медленно, по-стариковски охая и ежась, начал напяливать на себя свое грязное платье. Потом взял табуретку, веревку, приготовленную накануне, и, колеблясь от слабости, хватаясь за стены, вышел на улицу. Сразу сделалось так холодно… Все тело дрожало. Шлойме быстро укрепил веревку на крюке, встал возле двери, поставил табуретку, взобрался на нее, обмотал веревку вокруг худой трясущейся шеи, последним усилием оттолкнул табуретку, успел еще осмотреть потускневшими глазами городок, в котором он прожил 60 лет безвыездно, и повис…

Был сильный ветер, и вскоре щуплое тело старого Шлойме закачалось перед дверью дома, в котором он оставил теплую печку и засаленную отцовскую Тору.

ЭЛЬЯ ИСААКОВИЧ И МАРГАРИТА ПРОКОФЬЕВНА

Гершкович вышел от надзирателя с тяжелым сердцем. Ему было объявлено, что если не выедет он из Орла с первым поездом, то будет отправлен по этапу. А выехать — значило потерять дело.

С портфелем в руке, худощавый и неторопливый, шел он по темной улице. На углу его окликнула высокая женская фигура:

— Котик, зайдешь?

Гершкович поднял голову, посмотрел на нее через блеснувшие очки, подумал и сдержанно ответил:

— Зайду.

Женщина взяла его под руку. Они пошли за угол.

— Куда же мы? В гостиницу?

— Мне надо на всю ночь, — ответил Гершкович, — к тебе.

— Это будет стоить трешницу, папаша.

— Два, — сказал Гершкович.

— Расчета нет, папаша…

. . . .

Сторговались за два с полтиной. Пошли дальше.

Комната проститутки была небольшая, чистенькая, с порванными занавесками и розовым фонарем.

Когда пришли, женщина сняла пальто, расстегнула кофточку… и подмигнула.

— Э, — поморщился Гершкович, — какое глупство.

— Ты сердитый, папаша.

Она села к нему на колени.

— Нивроко, — сказал Гершкович, — пудов пять в вас будет?

— Четыре тридцать.

Она взасос поцеловала его в седеющую щеку.

. . . .

— Э, — снова поморщился Гершкович, — я устал, хочу уснуть.

Проститутка встала. Лицо у нее сделалось скверное.

— Ты еврей?

Он посмотрел на нее через очки и ответил:

— Нет.

— Папашка, — медленно промолвила проститутка, — это будет стоить десятку.

Он поднялся и пошел к двери.

— Пятерку, — сказала женщина.

Гершкович вернулся.

— Постелй мне, — устало сказал еврей, снял пиджак и осмотрелся, куда его повесить. — Как тебя зовут?

— Маргарита.

— Перемени простыню, Маргарита.

Кровать была широкая, с мягкой периной.

Гершкович стал медленно раздеваться, снял белые носки, расправил вспотевшие пальцы на ногах, запер дверь на ключ, положил его под подушку и лег. Маргарита, позевывая, неторопливо сняла платье, скосив глаза, выдавила прыщик на плече и стала заплетать на ночь жиденькую косичку.

— Как тебя зовут, папашка?

— Эли, Элья Исаакович.

— Торгуешь?

— Наша торговля… — неопределенно ответил Гершкович.

Маргарита задула ночник и легла…

. . . .

— Нивроко, — сказал Гершкович. — Откормилась.

Скоро они заснули.

На следующее утро яркий свет солнца залил комнату. Гершкович проснулся, оделся, подошел к окну.

— У нас море, у вас поле, — сказал он. — Хорошо.

— Ты откуда? — спросила Маргарита.

— Из Одессы, — ответил Гершкович. — Первый город, хороший город. — И он хитро улыбнулся.

— Тебе, я вижу, везде хорошо, — сказала Маргарита.

— И правда, — ответил Гершкович. — Везде хорошо, где люди есть.

— Какой ты дурак, — промолвила Маргарита, приподнимаясь на кровати. — Люди злые.

— Нет, — сказал Гершкович, — люди добрые. Их научили думать, что они злые, они и поверили.

Маргарита подумала, потом улыбнулась.

— Ты занятный, — медленно проговорила она и внимательно оглядела его.

— Отвернись. Я оденусь.

Потом завтракали, пили чай с баранками. Гершкович научил Маргариту намазывать хлеб маслом и по-особенному накладывать поверх колбасу.

— Попробуйте, а мне, между прочим, надо отправляться.

Уходя, Гершкович сказал:

— Возьмите три рубля, Маргарита. Поверьте, негде копейку заработать.

Маргарита улыбнулась.

— Жи́ла ты, жи́ла. Давай три. Придешь вечером?

— Приду.

Вечером Гершкович принес ужин — селедку, бутылку пива, колбасы, яблок. Маргарита была в темном глухом платье. Закусывая, разговорились.

— Полсотней в месяц не обойдешься, — говорила Маргарита. — Занятия такая, что дешевкой оденешься — щей не похлебаешь. За комнату отдаю пятнадцать, возьми в расчет…

— У нас в Одессе, — подумавши, ответил Гершкович, с напряжением разрезывая селедку на равные части, — за десять рублей вы имеете на Молдаванке царскую комнату.

— Прими в расчет, народ у меня толчется, от пьяного не убережешься…

— Каждый человек имеет свои неприятности, — промолвил Гершкович и рассказал о своей семье, о пошатнувшихся делах, о сыне, которого забрали на военную службу.

Маргарита слушала, положив голову на стол, и лицо у нее было внимательное, тихое и задумчивое.

После ужина, сняв пиджак и тщательно протерев очки суконкой, он сел за столик и, придвинув к себе лампу, стал писать коммерческие письма. Маргарита мыла голову.

Писал Гершкович неторопливо, внимательно, поднимая брови, по временам задумываясь, и, обмакивая перо, ни разу не забыл отряхнуть его от лишних чернил.

Окончив писать, он посадил Маргариту на копировальную книгу.

— Вы, нивроко, дама с весом. Посидите, Маргарита Прокофьевна, проше пана.

Гершкович улыбнулся, очки блеснули, и глаза сделались у него блестящие, маленькие, смеющиеся.

На следующий день он уезжал. Прохаживаясь по перрону, за несколько минут до отхода поезда Гершкович заметил Маргариту, быстро шедшую к нему с маленьким свертком в руках. В свертке были пирожки, и жирные пятна от них проступили на бумаге.

Лицо у Маргариты было красное, жалкое, грудь волновалась от быстрой ходьбы.

— Привет в Одессу, — сказала она, — привет…

— Спасибо, — ответил Гершкович, взял пирожки, поднял брови, над чем-то подумал и сгорбился.

Раздался третий звонок. Они протянули друг другу руки.

— До свидания, Маргарита Прокофьевна.

— До свиданья, Элья Исаакович.

Гершкович вошел в вагон. Поезд двинулся.

ШАБОС-НАХАМУ

Было утро, был вечер — день пятый. Было утро, наступил вечер — день шестой. В шестой день — в пятницу вечером — нужно помолиться; помолившись — в праздничном капоре пройтись по местечку и к ужину поспеть домой. Дома еврей выпивает рюмку водки, — ни Бог, ни Талмуд не запрещают ему выпить две, — съедает фаршированную рыбу и кугель с изюмом. После ужина ему становится весело. Он рассказывает жене истории, потом спит, закрыв один глаз и открыв рот. Он спит, а Гапка в кухне слышит музыку — как будто из местечка пришел слепой скрипач, стоит под окном и играет.

Так водится у каждого еврея. Но каждый еврей — это не Гершеле. Недаром слава о нем прошла по всему Острополю, по всему Бердичеву, по всему Вилюйску.

Из шести пятниц Гершеле праздновал одну. В остальные вечера — он с семьей сидели во тьме и в холоде. Дети плакали. Жена швыряла укоры. Каждый из них был тяжел, как булыжник. Гершеле отвечал стихами.

Однажды — рассказывают такой случай — Гершеле захотел быть предусмотрительным. В среду он отправился на ярмарку, чтобы к пятнице заработать денег. Где есть ярмарка — там есть пан. Где есть пан — там вертятся десять евреев. У десяти евреев не заработаешь трех грошей. Все слушали шуточки Гершеле, но никого не оказывалось дома, когда дело подходило к расчету.

С желудком пустым, как духовой инструмент, Гершеле поплелся домой.

— Что ты заработал? — спросила у него жена.

— Я заработал загробную жизнь, — ответил он. — И богатый и бедный обещали мне ее.

У жены Гершеле было только десять пальцев. Она поочередно загибала каждый из них. Голос ее гремел, как гром в горах.

— У каждой жены — муж как муж. Мой же только и умеет, что кормить жену словечками. Дай Бог, чтобы к Новому году у него отнялся язык, и руки, и ноги.

— Аминь, — ответил Гершеле.

— В каждом окне горят свечи, как будто дубы зажгли в домах. У меня же свечи тонки, как спички, и дыму от них столько, что он рвется к небесам. У всех уже поспел белый хлеб, а мне муж принес дров мокрых, как только что вымытая коса…

Гершеле не обмолвился ни единым словом в ответ. Зачем подбрасывать поленьев в огонь, когда он и без того горит ярко? Это первое. И что можно ответить сварливой жене, когда она права? Это второе.

Пришло время, жена устала кричать. Гершеле отошел, лег на кровать и задумался.

— Не поехать ли мне к рабби Борухл? — спросил он себя.

(Всем известно, что рабби Борухл страдал черной меланхолией и для него не было лекарства лучшего, чем слова Гершеле.)

— Не поехать ли мне к рабби Борухл? Служки цадика дают мне кости, а себе берут мясо. Это правда. Мясо лучше костей, кости лучше воздуха. Поедем к рабби Борухл.

Гершеле встал и пошел запрягать лошадь. Она взглянула на него строго и грустно.

«Хорошо, Гершеле, — сказали ее глаза, — ты вчера не дал мне овса, позавчера не дал мне овса, и сегодня я ничего не получила. Если ты и завтра не дашь мне овса, то я должна буду задуматься о своей жизни».

Гершеле не выдержал внимательного взгляда, опустил глаза и погладил мягкие лошадиные губы. Потом он вздохнул так шумно, что лошадь все поняла, и решил: «Я пойду пешком к рабби Борухл».

Когда Гершеле отправился в путь — солнце высоко стояло на небе. Горячая дорога убегала вперед. Белые волы медленно тащили повозки с душистым сеном. Мужики, свесив ноги, сидели на высоких возах и помахивали длинными кнутами. Небо было синее, а кнуты черные.

Пройдя часть дороги — верст пять, — Гершеле приблизился к лесу. Солнце уже уходило со своего места. На небе разгорались нежные пожары. Босые девочки гнали с пастбища коров. У каждой из коров раскачивалось наполненное молоком розовое вымя.

В лесу Гершеле встретила прохлада, тихий сумрак. Зеленые листы склонялись друг к другу, гладили друг друга плоскими руками и, тихонько пошептавшись в вышине, возвращались к себе, шелестя и вздрагивая.

Гершеле не внимал их шепоту. В желудке его играл оркестр такой большой, как на балу у графа Потоцкого. Путь ему лежал далекий. С боков земли спешила легкая тьма, смыкалась над головою Гершеле и развевалась по земле. Недвижимые фонари зажглись на небе. Земля замолчала.

Настала ночь, когда Гершеле подошел к корчме. В маленьком окошке светился огонек. У окошка в теплой комнате сидела хозяйка Зельда и шила пеленки. Живот ее был столь велик, точно она собиралась родить тройку. Гершеле взглянул на ее маленькое красное личико с голубыми глазами и поздоровался.

— Можно у вас отдохнуть, хозяйка?

— Можно.

Гершеле сел. Ноздри его раздувались, как кузнечные мехи. Жаркий огонь сверкал в печи. В большом котле кипела вода, обдавая пеной белоснежные вареники. В золотистом супе покачивалась жирная курица. Из духовой несся запах пирога с изюмом.

Гершеле сидел на лавке, скорчившись, как роженица перед родами. В одну минуту в его голове рождалось больше планов, чем у царя Соломона насчитывалось жен.

В комнате было тихо, кипела вода, и качалась на золотистых волнах курица.

— Где ваш муж, хозяйка? — спросил Гершеле.

— Муж уехал к пану платить деньги за аренду. — Хозяйка замолчала. Детские ее глаза выпучились. Она сказала вдруг: — Я вот сижу здесь у окна и думаю. И я хочу вам задать вопрос, господин еврей. Вы, наверное, много странствуете по свету, учились у ребе и знаете про нашу жизнь. Я ни у кого не училась. Скажите, господин еврей, скоро ли придет к нам шабос-нахаму?

«Эге, — подумал Гершеле. — Вопросец хорош. Всякая картошка растет на Божьем огороде…»

— Я вас спрашиваю потому, что муж обещал мне — когда придет шабос-нахаму, мы поедем к мамаше в гости. И платье я тебе куплю, и парик новый, и к рабби Моталэми поедем просить, чтобы у нас родился сын, а не дочь, — все это тогда, когда придет шабос-нахаму. Я думаю — это человек с того света?

— Вы не ошиблись, хозяйка, — ответил Гершеле. — Сам Бог положил эти слова на ваши губы… У вас будет и сын и дочь. Это я и есть шабос-нахаму, хозяйка.

Пеленки сползли с колен Зельды. Она поднялась, и маленькая ее головка стукнулась о перекладину, потому что Зельда была высока и жирна, красна и молода. Высокая грудь ее походила на два тугих мешочка, набитых зерном. Голубые глаза ее раскрылись, как у ребенка.

— Это я и есть шабос-нахаму, — подтвердил Гершеле. — Я иду уже второй месяц, хозяйка, иду помогать людям. Это длинный путь — с неба на землю. Сапоги мои изорвались. Я привез вам поклон от всех ваших.

— И от тети Песи, — закричала женщина, — и от папаши, и от тети Голды, вы знаете их?

— Кто их не знает? — ответил Гершеле. — Я говорил с ними так, как говорю теперь с вами.

— Как они живут там? — спросила хозяйка, складывая дрожащие пальцы на животе.

— Плохо живут, — уныло промолвил Гершеле. — Как может житься мертвому человеку? Балов там не задают…

Хозяйкины глаза наполнились слезами.

— Холодно там, — продолжал Гершеле, — холодно и голодно. Они же едят, как ангелы. Никто на том свете не имеет права кушать больше, чем ангелы. Что ангелу надо? Он хватит глоток воды, ему довольно. Рюмочку водки вы там за сто лет не увидите ни разу…

— Бедный папаша… — прошептала пораженная хозяйка.

— На Пасху он возьмет себе одну латку. Блин ему хватает на сутки…

— Бедная тетя Песя, — задрожала хозяйка.

— Я сам голодный хожу, — склонив набок голову, промолвил Гершеле, и слеза покатилась по его носу и пропала в бороде. — Мне ведь ни слова нельзя сказать, я считаюсь там из их компании…

Гершеле не докончил своих слов.

Топоча толстыми ногами, хозяйка стремительно несла к нему тарелки, миски, стаканы, бутылки. Гершеле начал есть, и тогда женщина поняла, что он действительно человек с того света.

Для начала Гершеле съел политую прозрачным салом рубленую печенку с мелко порубленным луком. Потом он выпил рюмку панской водки (в водке этой плавали апельсиновые корки). Потом он ел рыбу, смешав ароматную уху с мягким картофелем и вылив на край тарелки полбанки красного хрена, такого хрена, что от него заплакали бы пять панов с чубами и кунтушами.

После рыбы Гершеле отдал должное курице и хлебал горячий суп с плававшими в нем капельками жира. Вареники, купавшиеся в расплавленном масле, прыгали в рот Гершеле, как заяц прыгает от охотника. Не надо ничего говорить о том, что случилось с пирогом, что могло с ним случиться, если, бывало, по целому году Гершеле в глаза пирога не видел?..

После ужина хозяйка собрала вещи, которые она через Гершеле решила послать на тот свет, — папаше, тете Голде и тете Песе. Отцу она положила новый талес, бутыль вишневой настойки, банку малинового варенья и кисет табаку. Для тети Песи были приготовлены теплые серые чулки. К тете Голде поехали старый парик, большой гребень и молитвенник. Кроме этого, она снабдила Гершеле сапогами, караваем хлеба, шкварками и серебряной монетой.

— Кланяйтесь, господин шабос-нахаму, кланяйтесь всем, — напутствовала она Гершеле, уносившего с собой тяжелый узел. — Или погодите немного, скоро муж придет.

— Нет, — ответил Гершеле. — Надо спешить. Неужели вы думаете, что вы у меня одна?

В темном лесу спали деревья, спали птицы, спали зеленые листы. Побледневшие звезды, сторожащие нас, задремали на небе.

Отойдя с версту, запыхавшийся Гершеле остановился, скинул узел со спины, сел на него и стал рассуждать сам с собою.

— Ты должен знать, Гершеле, — сказал он себе, — что на земле живет много дураков. Хозяйка корчмы была дура. Муж ее, может быть, умный человек, с большими кулаками, толстыми щеками — и длинным кнутом. Если он приедет домой и нагонит тебя в лесу, то…

Гершеле не стал затруднять себя приисканием ответа. Он тотчас же закопал узел в землю и сделал знак, чтобы легко найти заветное место.

Потом он побежал в другую сторону леса, разделся догола, обнял ствол дерева и принялся ждать. Ожидание длилось недолго. На рассвете Гершеле услышал хлопанье кнута, причмокивание губ и топот копыт.

Это ехал корчмарь, пустившийся в погоню за господином шабос-нахаму.

Поравнявшись с голым Гершеле, обнявшим дерево, корчмарь остановил лошадь, и лицо его сделалось таким же глупым, как у монаха, повстречавшегося с дьяволом.

— Что вы делаете здесь? — спросил он прерывистым голосом.

— Я человек с того света, — ответил Гершеле уныло. — Меня ограбили, забрали важные бумаги, которые я везу к рабби Борухл…

— Я знаю, кто вас ограбил, — завопил корчмарь. — И у меня счеты с ним. Какой дорогой он убежал?

— Я не могу сказать, какой дорогой, — горько прошептал Гершеле. — Если хотите, дайте мне вашу лошадь, я догоню его в мгновенье. А вы подождите меня здесь. Разденьтесь, станьте у дерева, поддерживайте его, не отходя ни на шаг до моего приезда. Дерево это — священное, много вещей в нашем мире держится на нем…

Гершеле недолго нужно было всматриваться в человека, чтобы узнать, чем человек дышит. С первого взгляда он понял, что муж недалеко ушел от жены.

И вправду, корчмарь разделся, встал у дерева. Гершеле сел на повозку и поскакал. Он откопал свои вещи, взвалил их на телегу и довез до опушки леса.

Там Гершеле снова взвалил узел на плечи и, бросив лошадь, зашагал по дороге, которая вела прямо к дому святого рабби Борухл.

Было уже утро. Птицы пели, закрыв глаза. Лошадь корчмаря, понурясь, повезла пустую телегу к тому месту, где она оставила своего хозяина.

Он ждал ее, прижавшись к дереву, голый под лучами восходившего солнца. Корчмарю было холодно. Он переминался с ноги на ногу.

ГАПА ГУЖВА

На масленой тридцатого года в Великой Кринице сыграли шесть свадеб. Их отгуляли с буйством, какого давно не было. Обычаи старины возродились. Один сват, захмелев, сунулся пробовать невесту — порядок этот лет двадцать как был оставлен в Великой Кринице. Сват успел размотать кушак и бросил его на землю. Невеста, ослабев от смеха, трясла старика за бороду. Он наступал на нее грудью, гоготал и топал сапожищами. Старику, впрочем, не из чего было тревожиться. Из шести моняк, поднятых над хатами, только две были смочены брачной кровью, остальным невестам досвитки не прошли даром. Одну моняку достал красноармеец, приехавший на побывку, за другой полезла Гапа Гужва. Колотя мужчин по головам, она вскочила на крышу и стала взбираться по шесту. Он гнулся и качался под тяжестью ее тела. Гапа сорвала красную тряпку и съехала вниз по шесту. На изгорбине крыши стояли стол и табурет, а на столе пол-литра и нарезано кусками холодное мясо. Гапа опрокинула бутылку себе в рот; свободной рукой она размахивала монякой. Внизу гремела и плясала толпа. Стул скользил под Гапой, трещал и разъезжался. Березанские чабаны, гнавшие в Киев волов, воззрились на бабу, пившую водку в высоте, под самым небом.

— Разве то баба, — ответили им сваты, — то черт, вдова наша…

Гапа швыряла с крыши хлеб, прутья, тарелки. Допив водку, она разбила бутылку о выступ трубы. Мужики, собравшиеся внизу, ответили ей ревом. Вдова прыгнула на землю, отвязала дремавшую у тына кобылу с мохнатым брюхом и поскакала за вином. Она вернулась, обложенная фляжками, как черкес патронами. Кобыла, тяжело дыша, запрокидывала морду, жеребый ее живот западал и раздувался, в глазах тряслось лошадиное безумие.

Плясали на свадьбах с платочками, опустив глаза и топчась на месте. Одна Гапа разлеталась по-городскому. Она плясала в паре с любовником своим Гришкой Савченко. Они схватывались, словно в бою; в упрямой злобе обрывали друг другу плечи; как подшибленные, падали они на землю, выбивая дробь сапогами.

Шел третий день великокриницких свадеб. Дружки, обмазавшись сажей и вывернув тулупы, колотили в заслонки и бегали по селу. На улице зажглись костры. Через них прыгали люди с нарисованными рогами. Лошадей запрягли в лохани; они бились по кочкам и неслись через огонь. Мужики упали, сраженные сном. Хозяйки выбрасывали на задворки битую посуду. Новобрачные, помыв ноги, взошли на высокие постели, и только Гапа доплясывала одна в пустом сарае. Она кружилась, простоволосая, с багром в руках. Дубина ее, обмазанная дегтем, обрушивалась на стены. Удары сотрясали строение и оставляли черные липкие раны.

— Мы смертельные, — шептала Гапа, ворочая багром.

Солома и доски сыпались на женщину, стены рушились. Она плясала, простоволосая, среди развалин, в грохоте и пыли рассыпающихся плетней, летящей трухи и переламывающихся досок. В обломках вертелись, отбивая такт, ее сапожки с красными отворотами.

Спускалась ночь. В оттаявших ямах угасали костры. Сарай взъерошенной грудой лежал на пригорке. Через дорогу в сельраде зачадил рваный огонек. Гапа отшвырнула от себя багор и побежала по улице.

— Ивашко, — закричала она, врываясь в сельраду, — ходим гулять с нами, пропивать нашу жизнь...

Ивашко был уполномоченный рика по коллективизации. Два месяца прошло с тех пор, как начался разговор его с Великой Криницей. Положив на стол руки, Ивашко сидел перед мятой, обкусанной грудой бумаг. Кожа его возле висков сморщилась, зрачки больной кошки висели в глазницах. Над ними торчали розовые голые дуги.

— Не брезговай нашим крестьянством, — закричала Гапа и топнула ногой.

— Я не брезговаю, — уныло сказал Ивашко, — только мне нетактично с вами гулять.

Притоптывая и разводя руками, Гапа прошлась перед ним.

— Ходи с нами каравай делить, — сказала баба, — все твои будем, представник, только завтра, не сегодня...

Ивашко покачал головой.

— Мне нетактично с вами каравай делить, — сказал он, — разве ж вы люди?.. Вы ж на собак гавкаете, я от вас восемь кил весу потерял...

Он пожевал губами и прикрыл веки. Руки его потянулись, нашарили на столе холстинный портфель. Он встал, качнулся грудью вперед и, словно во сне, волоча ноги, пошел к выходу.

— Этот гражданин — чистое золото, — сказал ему вслед секретарь Харченко, — большую совесть в себе имеет, но только Великая Криница слишком грубо с ним обратилась...

Над прыщами и пуговкой носа у Харченки был выделан пепельный хохолок. Он читал газету, задрав ноги на скамью.

— Дождутся люди воронковского судьи, — сказал Харченко, переворачивая газетный лист, — тогда воспомянут.

Гапа вывернула из-под юбки кошель с подсолнухами.

— Почему ты должность свою помнишь, секретарь, — сказала баба, — почему ты смерти боишься?.. Когда это было, чтобы мужик помирать отказывался?..

На улице, вокруг колокольни, кипело черное вспухшее небо, мокрые хаты выгнулись и сползли. Над ними трудно высекались звезды, ветер стлался понизу.

В сенях своей хаты Гапа услышала мерное бормотанье, чужой осипший голос. Странница, забредшая ночевать, подогнув под себя ноги, сидела на печи. Малиновые нити лампад оплетали угол. В прибранной хате развешана была тишина; спиртным, яблочным духом несло от стен и простенков. Большегубые дочери Гапы, задрав снизу головы, уставились на побирушку. Девушки поросли коротким, конским волосом, губы их были вывернуты, узкие лбы светились жирно и мертво.

— Бреши, бабуся Рахивна, — сказала Гапа и прислонилась к стене, — я тому охотница, когда брешут...

Под потолком Рахивна заплетала себе косицы, рядками накладывала на маленькую голову. У края печи расставились вымытые изуродованные ее ступни.

— Три патриарха рахуются в свете, — сказала старуха, мятое ее лицо поникло, — московского патриарха заточила наша держава, иерусалимский живет у турок, всем христианством владеет антиохийский патриарх... Он выслал на Украину сорок грецких попов, чтоб проклясть церкви, где держава сняла дзвоны... Грецкие попы прошли Холодный Яр, народ бачил их в Остроградском, к прощеному воскресенью будут они у вас в Великой Кринице...

Рахивна прикрыла веки и умолкла. Свет лампады стоял в углублениях ее ступней.

— Вороньковский судья, — очнувшись, сказала старуха, — в одни сутки произвел в Вороньковe колгосп… Девять господарей он забрал в холодную… Наутро их доля была идти на Сахалин. Доню моя, везде люди живут, везде Христос славится… Перебуди тыи господари ночь в холодной, является стража — бр[illegible] их… Видчиняет стража дверь от острога, на свете полное утро, девять господарей качаются под балками, на своих опоясках…

Рахивна долго возилась, прежде чем улечься, разбирая лоскутики, она шепталась со своим богом, как шепчутся со стариком, который тут же лежит на печи, потом сразу и легко задышала. Чужой муж, Гришка Савченко, спал внизу на лаве[1]. Он сложился, как раздавленный, на самом краю и выгнул спину; жилетка вздыбилась на ней, голова его была всунута в подушки.

— Мужицкое кохання. — Гапа встряхнула его и растолкала. — Я добре знаю мужицкое це кохання… Отворотили рыло — чоловик от жинки — и топтаются… Не к себе пришел, не к Одарке…

Полночи они катались по лаве, во тьме, с сжатыми губами, с руками, протянутыми через тьму. Коса Гапы перелетала через подушку. На рассвете Гришка вскинулся, застонал и заснул, оскалившись. Гапе видны были коричневые плечи дочерей, низколобых, губатых, с черными грудями.

«Верблюды такие, — подумала она, — откуда они ко мне?..»

В дубовой раме окна двинулась тьма. Рассвет раскрыл в тучах фиолетовую полосу. Гапа вышла во двор. Ветер сжал ее, как студеная вода в реке. Она запрягла, взвалила на дровни мешки с пшеницей — за праздники мука подбилась у всех. В тумане, в пару рассвета проползла дорога.

На мельнице справились только к следующему вечеру. Весь день шел снег. У самого села, из льющейся прямой стены, навстречу Гапе вынырнул кор[illegible]ногий Юшко Трофим в размокшем треухе. Плечи его, накрытые снежным океаном, раздались и осели.

— Ну, просыпались, — забормотал он, подходя к саням, и поднял черное костистое лицо.

---

[1] Лава — скамейка, лавка, прикрепленная к стене избы (*укр.*).

— А именно што?.. — Гапа потянула к себе вожжи.

— Ночью вся головка наехала, — сказал Трофим, — бабусю твою законвертовали… Голова рику приехал, секретарь райкому… Ивашку замели, на его должность — вороньковский судья…

Усы Трофима поднялись, как у моржа, снег шевелился на них. Гапа тронула лошадь, потом снова потянула вожжи.

— Трофиме, бабусю за што?..

Юшко остановился и протрубил издалека, сквозь веющие, летящие снега.

— Кажуть, агитацию разводила про конец света…

Припадая на ногу, он пошел дальше, и сейчас же широкую его спину затерло небо, небо, слившееся с землей.

Подъехав к хате, Гапа постучала в окно кнутом. Дочери ее торчали у стола в шалях и башмаках, как на посиделках.

— Маты, — сказала старшая, сваливая мешки, — без вас приходила Одарка, взяла Гришку до дому…

Дочери накрыли на стол, поставили самовар. Поужинав, Гапа ушла в сельраду. Там, усевшись на лавках вдоль стен, молчали старики из села Великая Криница. Окно, разбитое во время прошлых споров, заделали листом фанеры, стекло лампы было протерто, к щербатой стене прибили плакат «Прохання не палить». Вороньковский судья, подняв плечи, читал у стола. Он читал книгу протоколов великокриницкой сельрады; воротник драпового его пальтишка был наставлен. Рядом за столом секретарь Харченко писал своему селу обвинительный акт. Он разносил по разграфленным листам все преступления, недоимки и штрафы, все раны, явные и скрытые. Приехав в село, Осмоловский, судья из Воронькова, отказался созвать сборы, общее собрание граждан, как это делали уполномоченные до него, он не произнес речи и только приказал составить список недоимщиков, бывших торговцев, списки их имущества, посевов и усадеб.

Великая Криница молчала, присев на лавки. Свист и треск Харченкиного пера юлил в тишине. Движение пронеслось и замерло, когда в сельраду вошла Гапа. Голова Евдоким Назаренко оживился, увидев ее.

— То есть первейший наш актив, товарищ судья, — Евдоким захохотал и потер ладони, — вдова наша, всех парубков нам перепортила…

Гапа, щурясь, стояла у двери. Гримаса тронула губы Осмоловского, узкий нос его сморщился. Он наклонил голову и сказал: «Здравствуйте».

— В колгосп первая записалась, — силясь разогнать тучу, Евдоким сыпал словами, — потом добрые люди подговорили, она и выписалась…

Гапа не двигалась. Кирпичный румянец лежал на ее лице.

— …А кажуть добрые люди, — произнесла она звучным, низким своим голосом, — кажуть, что в колгоспе весь народ под одним одеялом спать будет…

Глаза ее смеялись в неподвижном лице.

— …А я этому противница, гуртом спать, мы по двох любим, и горилку, батькови нашему черт, любим…

Мужики засмеялись и оборвали. Гапа щурилась. Судья поднял воспаленные глаза и кивнул ей. Он съежился еще больше, забрал голову в узкие рыжие руки и снова погрузился в книгу великокриницких протоколов. Гапа повернулась, статная ее спина зажглась перед оставшимися.

Во дворе, на мокрых досках, расставив колени, сидел дед Абрам, заросший диким мясом. Желтые космы падали на его плечи.

— Что ты, диду? — спросила Гапа.

— Журюсь, — сказал дед.

Дома у нее дочери уже легли. Поздней ночью, наискосок, в хатыне комсомольца Нестора Тягая ртутным языком повис огонек, — Осмоловский пришел на отведенную ему квартиру. На лавку брошен был тулуп, судью ждал ужин — миска простокваши и краюха хлеба с луковицей. Сняв очки, он прикрыл ладонями больные глаза — судья, прозванный в районе «двести шестнадцать процентов». Этой цифры он добился на хлебозаготовках в буйном селе Воронькове. Тайны, песни, народные поверья облекали проценты Осмоловского.

Он жевал хлеб и луковицу и разостлал перед собой «Правду», инструкции райкома и сводки Наркомзема по коллективизации. Было поздно, второй час ночи, когда дверь его раскрылась и женщина, накрест стянутая шалью, переступила порог.

— Судья, — сказала Гапа, — что с блядями будет?..

Осмоловский поднял лицо, обтянутое рябоватым огнем.

— Выведутся.

— Житье будет блядям или нет?

— Будет, — сказал судья, — только другое, лучшее.

Баба невидящими глазами уставилась в угол. Она тронула мmonisто на груди.

— Спасыби на вашем слове…

Монисто зазвенело. Гапа вышла, притворив за собой дверь.

Беснующаяся, режущая ночь набросилась на нее, кустарники туч, горбатые льдины с черным блеском в них. Просветляясь, низко неслись облака. Безмолвие распростерлось над Великой Криницей, над плоской, могильной, обледенелой пустыней деревенской ночи.

КОНЕЦ БОГАДЕЛЬНИ

В пору голода не было в Одессе людей, которым жилось бы лучше, чем богадельщикам на втором еврейском кладбище. Купец суконным товаром Кофман когда-то воздвиг в память жены своей Изабеллы богадельню рядом с кладбищенской стеной. Над этим соседством много потешались в кафе Фанкони. Но прав оказался Кофман. После революции призреваемые на кладбище старики и старухи захватили должности могильщиков, канторов, обмывальщиц. Они завели себе дубовый гроб с покрывалом и серебряными кистями и давали его напрокат бедным людям.

Тес в то время исчез из Одессы. Наемный гроб не стоял без дела. В дубовом ящике покойник отстаивался у себя дома и на панихиде; в могилу же его сваливали облаченным в саван. Таков забытый еврейский закон.

Мудрецы учили, что не следует мешать червям соединиться с падалью, она нечиста. «Из земли ты произошел и в землю обратишься».

Оттого, что старый закон возродился, старики получали к своему пайку приварок, который никому в те годы не снился. По вечерам они пьянствовали в погребке Залмана Криворучки и подавали соседям объедки.

Благополучие их не нарушалось до тех пор, пока не случилось восстания в немецких колониях. Немцы убили в бою коменданта гарнизона Герша Лугового.

Его хоронили с почестями. Войска прибыли на кладбище с оркестрами, походными кухнями и пулеметами на тачанках. У раскрытой могилы были произнесены речи и даны клятвы.

— Товарищ Герш, — кричал, напрягаясь, Ленька Бройтман, начальник дивизии, — вступил в РСДРП большевиков в тысяча девятьсот одиннадцатом году, где проводил работу пропагандиста и агента связи. Репрессиям товарищ Герш начал подвергаться вместе с Соней Яновской, Иваном Соколовым и Моносзоном в тысяча девятьсот тринадцатом году в городе Николаеве…

Арье-Лейб, староста богадельни, держался со своими товарищами наготове. Ленька не успел кончить прощальное слово, как старики начали поворачивать гроб на сторону, чтобы вывалить мертвеца, прикрытого знаменем. Ленька незаметно толкнул Арье-Лейба шпорой.

— Отскочь, — сказал он, — отскочь отсюда… Герш заслужил у Республики…

На глазах оцепеневших стариков Луговой был зарыт вместе с дубовым ящиком, кистями и черным покрывалом, на котором серебром были вытканы щиты Давида и стих из древнееврейской заупокойной молитвы.

— Мы мертвые люди, — сказал Арье-Лейб своим товарищам после похорон, — мы у фараона в руках…

И он бросился к заведующему кладбищем Бройдину с просьбой о выдаче досок для нового гроба и сукна для покрывала. Бройдин пообещал, но ничего не сделал. В его планы не входило обогащение стариков. Он сказал в конторе:

— Мне больше сердце болит за безработных коммунальников, чем за этих спекулянтов…

Бройдин пообещал, но ничего не сделал. В погребке Залмана Криворучки на его голову и на головы членов союза коммунальников сыпались талмудические проклятия. Старики закляли мозг в костях Бройдина и членов союза, свежее семя в утробе их жен и пожелали каждому из них особый вид паралича и язвы.

Доход их уменьшился. Паек состоял теперь из синей похлебки с рыбьими костями. На второе подавалась ячная каша, ничем не подмасленная.

Старик из Одессы может есть всякую похлебку, из чего бы она ни была сварена, если только в нее положены лавровый лист, чеснок и перец. Тут ничего этого не было.

Богадельня имени Изабеллы Кофман разделила общую участь. Ярость изголодавшихся стариков возрастала. Она обрушилась на голову человека, который меньше всего ждал этого. Этим человеком оказалась докторша Юдифь Шмайсер, пришедшая в богадельню прививать оспу.

Губисполком издал распоряжение об обязательном оспопрививании. Юдифь Шмайсер разложила на столе свои инструменты и зажгла спиртовку. Перед окнами стояли изумрудные стены кладбищенских кустов. Голубой язычок пламени мешался с июньскими молниями.

Ближе всего к Юдифи стоял Меер Бесконечный, тощий старик. Он угрюмо следил за ее приготовлениями.

— Разрешите вас уколоть, — сказала ему Юдифь и взмахнула пинцетом. Она стала вытягивать из тряпья голубую плеть его руки.

Старик отдернул руку:

— Меня не во что колоть...

— Больно не будет, — вскричала Юдифь, — в мякоть не больно...

— У меня нет мякоти, — сказал Меер Бесконечный, — меня не во что колоть...

Из угла комнаты ему ответили глухим рыданием. Это рыдала Доба-Лея, бывшая повариха на обрезаниях. Меер искривил истлевшие щеки.

— Жизнь — смитье, — пробормотал он, — свет — бордель, люди — аферисты...

Пенсне на носике Юдифи закачалось, грудь ее вышла из накрахмаленного халата. Она открыла рот для того, чтобы объяснить пользу оспопрививания, но ее остановил Арье-Лейб, староста богадельни.

— Барышня, — сказал он, — нас родила мама так же, как и вас. Эта женщина, наша мама, родила нас для того, чтобы мы жили, а не мучились. Она хотела, чтобы мы жили хорошо, и она была права, как может быть права мать. Человек, которому хватает того, что Бройдин ему отпускает, — этот человек недостоин материала, который пошел на него. Ваша цель, барышня, состоит в том, чтобы прививать оспу, и вы, с Божьей помощью, прививаете ее. Наша цель состоит в том, чтобы дожить нашу жизнь, а не домучить ее, и мы не исполняем этой цели.

Доба-Лея, усатая старуха с львиным лицом, зарыдала еще громче, услышав эти слова. Она зарыдала басом.

— Жизнь — смитье, — повторил Меер Бесконечный, — люди — аферисты…

Парализованный Симон-Вольф схватился за руль своей тележки и, визжа и выворачивая ладони, двинулся к двери. Ермолка сдвинулась с малиновой, раздутой его головы.

Вслед за Симоном-Вольфом на главную аллею, рыча и гримасничая, вывалились все тридцать стариков и старух. Они потрясали костылями и ревели, как голодные ослы.

Сторож, увидев их, захлопнул кладбищенские ворота. Могильщики подняли вверх лопаты с налипшей на них землей и корнями трав и остановились в изумлении.

На шум вышел бородатый Бройдин, в крагах и кепи велосипедиста и в кургузом пиджачке.

— Аферист, — закричал ему Симон-Вольф, — нас не во что колоть… У нас на руках нет мяса…

Доба-Лея оскалилась и зарычала. Тележкой парализованного она стала наезжать на Бройдина. Арье-Лейб начал, как всегда, с иносказаний, с притч, крадущихся издалека и к цели, не всем видимой.

Он начал с притчи о рабби Осии, отдавшем свое имущество детям, сердце — жене, страх — Богу, подать — цезарю и оставившему себе только место под масличным деревом, где солнце, закатываясь, светило дольше всего. От рабби Осии Арье-Лейб перешел к доскам для нового гроба и к пайку.

Бройдин расставил ноги в крагах и слушал, не поднимая глаз. Коричневое заграждение его бороды лежало неподвижно на новом френче; он, казалось, отдается печальным и мирным мыслям.

— Ты простишь меня, Арье-Лейб, — Бройдин вздохнул, обращаясь к кладбищенскому мудрецу, — ты простишь меня, если я скажу, что не могу не видеть в тебе задней мысли и политического элемента... За твоей спиной я не могу не видеть, Арье-Лейб, тех, кто знает, что они делают, точно так же, как и ты знаешь, что ты делаешь...

Тут Бройдин поднял глаза. Они мгновенно залились белой водой бешенства. Трясущиеся холмы его зрачков уперлись в стариков.

— Арье-Лейб, — сказал Бройдин сильным своим голосом, — прочитай телеграммы из Татреспублики, где крупные количества татар голодают, как безумные... Прочитай воззвание питерских пролетариев, которые работают и ждут, голодая, у своих станков...

— Мне некогда ждать, — прервал заведующего Арье-Лейб, — у меня нет времени...

— Есть люди, — ничего не слыша, гремел Бройдин, — которые живут хуже тебя, и есть тысячи людей, которые живут хуже тех, кто живет хуже тебя... Ты сеешь неприятности, Арье-Лейб, ты получишь завирюху. Вы будете мертвыми людьми, если я отвернусь от вас. Вы умрете, если я пойду своей дорогой, а вы своей. Ты умрешь, Арье-Лейб. Ты умрешь, Симон-Вольф. Ты умрешь, Меер Бесконечный. Но перед тем, как вам умереть, скажите мне, — я интересуюсь это знать, — есть у нас Советская власть или, может быть, ее нет у нас? Если ее нет у нас и я ошибся, — тогда отведите меня к господину Берзону на угол Дерибасовской и Екатерининской, где я отработал жилеточником все годы моей жизни... Скажи мне, что я ошибся, Арье-Лейб...

И заведующий кладбищем вплотную подошел к калекам. Трясущиеся его зрачки были выпущены на них. Они неслись на помертвевшее, застонавшее стадо, как лучи прожекторов, как языки пламени. Краги Бройдина трещали, пот кипел на изрытом лице, он все ближе подступал к Арье-Лейбу и требовал ответа — не ошибся ли он, считая, что Советская власть уже наступила...

Арье-Лейб молчал. Молчание это могло бы стать его гибелью, если бы в конце аллеи не показался босой Федька Степун в матросской рубахе.

Федьку контузили когда-то под Ростовом, он жил на излечении в хибарке рядом с кладбищем, носил на оранжевом полицейском шнуре свисток и наган без кобуры.

Федька был пьян. Каменные завитки кудрей выложены были на его лбу. Под завитками кривилось судорогой скуластое лицо. Он подошел к могиле Лугового, обнесенной увядшими венками.

— Где ты был, Луговой, — сказал Федька покойнику, — когда я Ростов брал?..

Матрос заскрипел зубами, засвистел в полицейский свисток и вытащил из-за пояса наган. Вороненое дуло револьвера осветилось.

— Подавили царей, — закричал Федька, — нету царей… Всем без гробов лежать…

Матрос сжимал револьвер. Грудь его была обнажена. На ней татуировкой разрисовано было слово «Рива» и дракон, голова которого загибалась к соску.

Могильщики с поднятыми вверх лопатами столпились вокруг Федьки. Женщины, обмывавшие покойников, вышли из своих клетей и приготовились реветь вместе с Добой-Леей. Воющие волны бились о запертые кладбищенские ворота.

Родственники, привезшие покойников на тачках, требовали, чтобы их впустили. Нищие колотили костылями об решетки.

— Подавили царей. — Матрос выстрелил в небо.

Люди прыжками понеслись по аллее. Бройдин медленно покрывался бледностью. Он поднял руку, согласился на все требования богадельни и, повернувшись по-солдатски, ушел в контору. Ворота в то же мгновение разъехались. Родственники умерших, толкая перед собой тележки, бойко катили их по дорожкам. Самозваные канторы пронзительными фальцетами запели «Эль молей рахим»[1] над разрытыми могилами. Вечером они отпраздновали свою победу у Криворучки. Федьке поднесли три кварты бессарабского вина.

— «Гэвэл гаволим»[2], — чокаясь с матросом, сказал Арье-Лейб, — ты душа-человек, с тобой можно жить… «Кулой гэвэл»…[3]

---

[1] Заупокойная еврейская молитва.

[2] Суета сует (*евр.*).

[3] И всяческая суета (*евр.*).

Хозяйка, жена Криворучки, перемывала за стенкой стаканы.

— Если у русского человека попадается хороший характер, — заметила мадам Криворучка, — так это действительно роскошь…

Федьку вывели во втором часу ночи.

— Гэвэл гаволим, — бормотал он губительные, непонятные слова, пробираясь по Степовой улице, — кулой гэвэл…

На следующий день старикам в богадельне выдали по четыре куска пиленого сахару и мясо к борщу. Вечером их повезли в Городской театр на спектакль, устроенный Соцобесом. Шла «Кармен». Впервые в жизни инвалидцы и уродцы увидели золоченые ярусы одесского театра, бархат его барьеров, масляный блеск его люстр. В антрактах всем роздали бутерброды с ливерной колбасой.

На кладбище стариков отвезли на военном грузовике. Взрываясь и грохоча, он пролагал свой путь по замерзшим улицам. Старики заснули с оттопыренными животами. Они отрыгивались во сне и дрожали от сытости, как забегавшиеся собаки.

Утром Арье-Лейб встал раньше других. Он обратился к востоку, чтобы помолиться, и увидел на дверях объявление. В бумажке этой Бройдин извещал, что богадельня закрывается для ремонта и все призреваемые имеют сего числа явиться в Губернский отдел социального обеспечения для перерегистрации по трудовому признаку.

Солнце всплыло над верхушками зеленой кладбищенской рощи. Арье-Лейб поднес пальцы к глазам. Из потухших впадин выдавилась слеза.

Каштановая аллея, светясь, уходила к мертвецкой. Каштаны были в цвету, деревья несли высокие белые цветы на растопыренных лапах. Незнакомая женщина в шали, туго подхватывавшей грудь, хозяйничала в мертвецкой. Там все было переделано наново — стены украшены елками, столы выскоблены. Женщина обмывала младенца. Она ловко ворочала его с боку на бок: вода бриллиантовой струей стекала по вдавившейся, пятнистой спинке.

Бройдин в крагах сидел на ступеньках мертвецкой. У него был вид отдыхающего человека. Он снял свое кепи и вытирал лоб желтым платком.

— В союзе я так и сказала товарищу Андрейчику, — голос незнакомой женщины был певуч, — мы работы не бежим… О нас пусть спросят в Екатеринославе… Екатеринослав знает нашу работу…

— Устраивайтесь, товарищ Блюма, устраивайтесь, — мирно сказал Бройдин, пряча в карман желтый платок, — со мной можно ладить… Со мной можно ладить… — повторил он и обратил сверкающие глаза к Арье-Лейбу, подтащившемуся к самому крыльцу, — не надо только плевать мне в кашу…

Бройдин не окончил своей речи: у ворот остановилась пролетка, запряженная высокой вороной лошадью. Из пролетки вылез заведующий комхозом в отложной рубашке. Бройдин подхватил его и повел к кладбищу.

Старый портняжеский подмастерье показал своему начальнику столетнюю историю Одессы, покоящуюся под гранитными плитами. Он показал ему памятники и склепы экспортеров пшеницы, корабельных маклеров и негоциантов, построивших русский Марсель на месте поселка Хаджибей. Они лежали тут — лицом к воротам — Ашкенази, Гессены и Эфрусси, лощеные скупцы, философические гуляки, создатели богатств и одесских анекдотов. Они лежали под памятниками из Лабрадора и розового мрамора, отгороженные цепями каштанов и акаций от плебса, жавшегося к стенам.

— Они не давали жить при жизни, — Бройдин стучал по памятнику сапогом, — они не давали умереть после смерти…

Воодушевившись, он рассказал заведующему комхозом свою программу переустройства кладбищ и план кампании против погребального братства.

— И вот этих убрать. — Заведующий указал на нищих, выстроившихся у ворот.

— Делается, — ответил Бройдин, — понемножку все делается…

— Ну, двигай, — сказал заведующий Майоров, — у тебя, отец, порядочек… Двигай…

Он занес ногу на подножку пролетки и вспомнил о Федьке.

— Это что за петрушка была?..

— Контуженый парень, — опустив глаза, сказал Бройдин, — и бывает невыдержанный… Но теперь ему объяснили, и он извиняется…

— Варит котелок, — сказал Майоров своему спутнику, отъезжая, — ворочает как надо…

Высокая лошадь несла к городу его и заведующего отделом благоустройства. По дороге им встретились старики и старухи, выгнанные из богадельни. Они прихрамывали, согнувшись под узелками, и плелись молча. Разбитные красноармейцы сгоняли их в ряды. Тележки парализованных скрипели. Свист удушья, покорное хрипение вырывалось из груди отставных канторов, свадебных шутов, поварих на обрезаниях и отслуживших приказчиков.

Солнце стояло высоко. Зной терзал груду лохмотьев, тащившихся по земле. Дорога их лежала по безрадостному, выжженному каменистому шоссе, мимо глинобитных хибарок, мимо полей, задавленных камнями, мимо раскрытых домов, разрушенных снарядами, и чумной горы. Невыразимо печальная дорога вела когда-то в Одессе от города к кладбищу.

БАГРАТ-ОГЛЫ И ГЛАЗА ЕГО БЫКА

Я увидел у края дороги быка невиданной красоты. Склонившись над ним, плакал мальчик.

— Это Баграт-Оглы, — сказал заклинатель змей, поедавший в стороне скудную трапезу. — Баграт-Оглы, сын Кязима.

Я сказал:

— Он прекрасен, как двенадцать лун.

Заклинатель змей сказал:

— Зеленый плащ Пророка никогда не прикроет своевольной бороды Кязима. Он был сутяга, оставивший своему сыну нищую хижину, тучных жен и бычка, которому не было пары. Но Алла велик…

— Алла иль Алла, — сказал я.

— Алла велик, — повторил старик, отбрасывая от себя корзину со змеями. — Бык вырос и стал могущественнейшим быком Анатолии. Мемед-хан, сосед, заболевший завистью, оскопил его этой ночью. Никто не приведет больше к Баграт-Оглы коров, ждущих зачатия. Никто не заплатит Баграт-Оглы ста

пиастров за любовь его быка. Он нищ — Баграт-Оглы. Он рыдает у края дороги.

Безмолвие гор простирало над нами лиловые знамена. Снега сияли на вершинах. Кровь стекала по ногам изувеченного быка и закипала в траве. И, услышав стон быка, я заглянул ему в глаза и увидел смерть быка и свою смерть и пал на землю в неизмеримых страданиях.

— Путник, — воскликнул тогда мальчик с лицом, розовым, как заря, — ты извиваешься, и пена клокочет в углах твоих губ. Черная болезнь вяжет тебя канатами своих судорог.

— Баграт-Оглы, — ответил я, изнемогая, — в глазах твоего быка я нашел отражение всегда бодрствующей злобы соседей наших Мемед-ханов. В их влажной глубине я нашел зеркала, в которых разгораются зеленые костры измены соседей наших Мемед-ханов. Мою юность, убитую бесплодно, увидел я в зрачках изувеченного быка и мою зрелость, пробивавшуюся сквозь колючие изгороди равнодушия. Пути Сирии, Аравии и Курдистана, измеренные мною трижды, нахожу я в глазах твоего быка, о, Баграт-Оглы, и их плоские пески не оставляют мне надежды. Ненависть всего мира вползает в отверстые глазницы твоего быка. Беги же от злобы соседей наших Мемед-ханов, о, Баграт-Оглы, и пусть старый заклинатель змей взвалит на себя корзину с удавами и бежит с тобою рядом...

И, огласив ущелье стоном, я поднялся на ноги. Я ощутил аромат эвкалиптов и ушел прочь. Многоголовый рассвет взлетел над горами, как тысяча лебедей. Бухта Трапезунда блеснула вдали сталью своих вод. И я увидел море и желтые борты фелюг. Свежесть трав переливалась на развалинах византийской стены. Базары Трапезунда и ковры Трапезунда предстали предо мной. Молодой горец встретился мне у поворота в город. На вытянутой руке его сидел кобчик с закованной лапой. Походка горца была легка. Солнце всплывало над нашими головами. И внезапный покой сошел на мою душу скитальца.

СОДЕРЖАНИЕ

Исаак Бабель

КАК ЭТО ДЕЛАЛОСЬ В ОДЕССЕ
(рассказы)

Ответственный за выпуск *Р. В. Грищенков*
Художник *И. Г. Мосин*
Корректор *М. А. Шамаева*
Верстка *Н. В. Петренко*

ООО «Издательский Дом „Кристалл“»
199004, Санкт-Петербург, Биржевой пер., д. 1/10, кв. 1.
E-mail: books@kristall.sp.ru
Тел./ факс: (812) 327-46-72
Московское отделение
(095) 219-71-49, 219-18-04

Лицензия: ИД № 01336 от 24 марта 2000 г.

Оригинал-макет подготовлен ООО «Фортэкс»
Тел.: (812) 320-98-61, 323-31-86
Тел./ факс: (812) 323-28-30

Компьютерный дизайн обложки *А. Ю. Котовой*

Макет обложки подготовлен ООО «Издательство „Терция“»
198013, Санкт-Петербург, ул. Можайского, д. 18, кв. 2.
E-mail: tercia@mail.wplus.net

Подписано в печать 28.06.01. Формат 84×90 1/32.
Печать высокая. Гарнитура «Таймс».
Объем 6,5 печ. л. Тираж 5000 экз. Заказ № 999.

Отпечатано с диапозитивов в ФГУП «Печатный двор»
Министерства РФ по делам печати,
телерадиовещания и средств массовых коммуникаций.
197110, Санкт-Петербург, Чкаловский пр., 15.